ANDRÉ GIDE

Du même auteur
au Mercure de France

Marcel Proust

TOME I : LES ANNÉES DE JEUNESSE
TOME II : LES ANNÉES DE MATURITÉ

GEORGE D. PAINTER

André Gide

TRADUIT DE L'ANGLAIS
PAR JEAN-RENÉ MAJOR

MERCURE DE FRANCE
MCMLXVIII

Édition originale en langue anglaise : Weidenfeld and Nicolson.
© George D. Painter, 1968.
© Traduction française : Mercure de France, 1968.

A ma femme

La première version de ce livre fut rédigée entre 1948 et 1951, dans l'enthousiasme de la découverte provoqué par une première, puis une seconde lecture de Gide. L'ouvrage fut bien accueilli, vite épuisé, et depuis il a été revu et développé à la lumière des écrits posthumes de Gide et des autres sources importantes apparues depuis sa mort. Il y avait beaucoup à corriger, beaucoup à ajouter, mais les sentiments qui avaient présidé à la première rédaction demeurent inchangés ou toujours prêts à resurgir, dix-sept ans après. Ainsi que Germaine Brée le faisait observer en pareilles circonstances, « mon attitude fondamentale devant l'œuvre de Gide n'a pas vraiment changé. Lorsque j'ai retrouvé son œuvre, j'en ai plutôt constaté la réaffirmation ». Gide est toujours le même, plus encore aujourd'hui de ce « qu'en lui-même l'éternité le change ». La connaissance de plus en plus profonde que nous avons des forces qui l'écartelaient ne fait que confirmer la grandeur de son combat et de sa victoire, la puissance de sa joie dans sa jeunesse et de sa sérénité dans la vieillesse. Tandis que nous gravissons la pente enténébrée du vingtième siècle, ce roc se dresse toujours plus haut derrière nous, dans la lumière, pour atteindre sa vraie mesure.

Il est vrai de dire de tout grand écrivain, et plus particulièrement de Gide, que ses œuvres sont façonnées par les mêmes conflits intérieurs qui dominent secrètement sa vie. Ses livres sont des moments de vie complexes. Sa vie elle-même devient une œuvre d'art dont ses livres font partie. Gide écrivait de Gœthe : « Chacun de ses poèmes est un acte, et, réciproquement, sa vie entière nous paraît comme une œuvre d'art, une de ses œuvres les plus belles... Ce n'est point la fleur seule, ici, que j'admire ; mais, avec elle, la plante entière qui la porte et qui l'alimente et dont je ne la puis détacher. » En écrivant cela, Gide pensait peut-être autant à lui-même qu'à Gœthe, car son existence fut l'une des plus allégoriques qui fût. Bien qu'il se considérât toujours comme un anti-mystique, il connut dans sa jeunesse l'expérience mystique de la joie et de la libération ; et il consacra le reste de sa longue vie à préserver cette expérience, à la purifier, à la réconcilier avec les principes opposés de sacrifice et de contrainte, ainsi qu'à la recherche d'une harmonie finale où jouissance et abnégation, sens et esprit, démons et divinité, complaisance et sacrifices coexisteraient et s'uniraient. Son art constitue la fin et les moyens, la démarche, l'illustration et l'aboutissement de sa quête.

Ce qu'un écrivain de génie nous propose en premier lieu, ce n'est ni une doctrine (toute doctrine suscite toujours une opposition), ni même un spectacle harmonieux, mais une expérience fondamentale, la sienne. Pour le comprendre, il faut partager par son intermédiaire cette expérience, et pour le critiquer, il faut demeurer à demi immergé dans celle-ci au moment de rédiger cette critique. Aucun critique ne parviendra à saisir les meilleures qualités de Gide, s'il n'a pas tout d'abord renoncé à tout désir de prendre le dessus sur lui.

J'ai cherché à approcher les œuvres de Gide à travers l'esprit qui les a créées, à les décrire non seulement dans leur essence et dans leur contenu, mais dans leur croissance organique même, à partir de l'histoire de cet esprit et de ce cœur. Il fut, me semble-t-il, le dernier grand écrivain de notre époque, et aussi le plus salutaire. Il n'a pas d'égal en ce siècle pour le profond plaisir esthétique, intellectuel et sensoriel qu'il nous procure ; mais son importance est plus grande encore en tant que source de joie spirituelle et de guide courageux en vue de l'acquisition du bonheur personnel, de la vertu et de la liberté.

CHAPITRE PREMIER

L'ENFANCE ET LE TEMPS DE L'ÉCOLE

LES CAHIERS D'ANDRÉ WALTER

> « Je ne suis qu'un petit garçon
> qui s'amuse, doublé d'un pasteur
> protestant qui l'ennuie. »
>
> *Journal*, 22 juin 1907.

André Gide naquit à Paris le 22 novembre 1869, de Paul Gide, professeur à la Faculté de Droit, et de sa femme Juliette. Ils habitaient un appartement au dernier étage d'un immeuble de la rue de Médicis où, du haut de son balcon, le petit André lançait des dragons de papier qu'il regardait planer au-dessus de la place et de la fontaine, jusqu'au jardin du Luxembourg où les hautes branches des marronniers les accrochaient ; André s'amusait à des jeux équivoques sous la table de la salle à manger, en compagnie du fils de la concierge et, dans les jardins, il piétinait les pâtés de sable des autres enfants, parce qu'ils ne voulaient pas jouer avec lui. Une photographie de cette époque le représente « blotti dans les jupes de sa mère, affublé d'une ridicule petite robe à carreaux, l'air maladif et méchant, le regard biais ».

Le père de Gide appartenait à une famille protestante d'Uzès, petite ville du Midi de la France, proche
de Nîmes, et nid de huguenots depuis la Réforme. Le
grand-père Tancrède, après s'être démis de la prési-
dence du tribunal de la ville, se consacra presque
uniquement aux bonnes œuvres, y compris l'instruction
morale et religieuse de l'école du dimanche. Il mourut
avant la naissance d'André, en refusant de recourir
à l'intervention impie du médecin. C'était un vieux
dévot austère, inflexible, dont l'humeur sévère se com-
muniqua aux autres membres de la famille, sans
atteindre toutefois le père de Gide. Et pourtant, il
avait paru à ses supérieurs inapte à son poste, par son
excessive bonté et son attachement scrupuleux au
commandement : « Ne jugez point, afin de n'être point
jugés ». Plus tard, ces qualités se retrouvèrent chez
son petit-fils en tant qu'écrivain et juré.

En 1863, Paul Gide avait épousé Juliette Rondeaux
— une riche héritière de Rouen. Le père de celle-ci,
Édouard Rondeaux, fils d'un franc-maçon et rationa-
liste voltairien, bien que né catholique, s'était marié
avec une protestante et avait accepté que ses enfants
fussent élevés dans la religion de leur mère. Dans cette
union du Nord avec le Sud ; du vin, des amandiers
et des garrigues brûlées par le soleil du Midi avec le
cidre, les pommiers et les forêts sombres de la
Normandie, Gide vit toujours la source ou le symbole
des deux pôles jumeaux de sa nature et de son besoin
de les réconcilier à travers l'œuvre d'art.

Il devait commencer le compte rendu d'un roman
de Barrès, *Les Déracinés*, par cette phrase célèbre :
« Né à Paris, d'un père uzétien et d'une mère nor-

mande, où voulez-vous, Monsieur Barrès, que je
m'enracine ? ». Cependant, la similitude des deux
courants de son sang est plus remarquable que leurs
différences. Des deux familles lui venait le même héritage protestant d'abnégation et de ferveur spirituelle,
plus austère peut-être du côté de son père, plus patient
et plus raffiné, mais non moins autoritaire, du côté
de sa mère. Il n'y a toutefois pas lieu d'imaginer à
Gide quelque ancêtre rebelle qui l'expliquerait. Les
élans de joie et de liberté, accumulés et refoulés par
les générations précédentes, se libérèrent et se réali-
sèrent en lui.

En 1875, la famille emménagea rue de Tournon,
qui rejoint la rue de Vaugirard en face du palais du
Luxembourg. Dans le nouvel appartement, son père
possédait un obscur et vaste cabinet de travail dans
lequel il invitait André à observer avec lui le travail
des insectes rongeurs à travers les pages d'un in-folio
de droit. Il emmenait l'enfant en promenade dans les
rues de Paris : « Mon petit ami vient-il se promener
avec moi ? » disait-il. Au lieu des insipides livres
d'enfants de l'époque, il lui lisait *Les Mille et une
Nuits*, *L'Odyssée*, Molière ou *La Farce de Pathelin*. A
cette époque, André préféra son père à sa mère.
Celle-ci exigeait une obéissance scrupuleuse (« Elle
comparait l'enfant que j'étais au peuple hébreu et
protestait qu'avant de vivre dans la grâce il était bien
d'avoir vécu sous la loi »), et André était insubordonné.
Mais son père, qui possédait heureusement une amé-
nité unique dans la famille dont il était issu, pouvait
obtenir sur un simple mot tout ce qu'il voulait de son
fils.

A l'âge de cinq ans, André suivit les cours d'une école privée pour petits garçons et grandes fillettes. Tandis qu'il pâlissait sur son alphabet, il lorgnait avec envie les fillettes qui, avec des fausses barbes, répétaient *Les Plaideurs* de Racine. A sept ans, il commença à apprendre le piano avec Mlle Goecklin, qui était trop pauvre pour se nourrir, mais possédait une cage de bengalis et un piano jamais accordé. « Il faudra faire venir l'accordeur », disait-elle, mais celui-ci ne venait jamais. A huit ans, on l'envoya à l'École alsacienne de la rue d'Assas, en partie protestante, de l'autre côté du Luxembourg. « Je dormais encore ; j'étais pareil à ce qui n'est pas né », avoue-t-il. « Coudrier est synonyme de noisetier », apprit un jour l'instituteur à sa classe. « Or, Gide, quel est le synonyme de coudrier ? » Et Gide ne sut répondre. Toutefois, ce ne fut pas pour ce crime (qui lui valut seulement un « zéro de conduite ») que ses parents furent priés de le reprendre pour un trimestre, mais à cause de ses « mauvaises habitudes » qu'il ne se souciait pas de dissimuler, ne soupçonnant pas qu'elles fussent répréhensibles. La rougeole lui fit perdre un autre trimestre. L'année suivante, obligé de redoubler, il trouva les leçons faciles et acquit le goût de l'étude.

Afin que personne, et en premier lieu André, ne pût souffrir de leurs différences de fortune, sa mère l'habillait de la même façon que ses camarades les plus pauvres. Malheureusement, les mères de ces derniers ne se souciaient ni d'élégance ni de confort vestimentaire. Il aurait désiré un costume marin avec un béret, mais on l'obligeait à porter une culotte courte, des chaussettes rayées et un ridicule petit chapeau melon.

« Et il m'a fallu attendre d'être presque un homme déjà pour obtenir qu'on ne m'empesât plus mes devants de chemise », se plaint-il. A l'approche du Mardi-Gras, les mères consultaient une liste de travestis à louer, dont les prix allaient décroissant, du petit lord jusqu'au pâtissier en passant par le polichinelle et le « lazzarone ». Il n'y avait rien de meilleur marché que le costume de pâtissier, qui consistait en un vêtement de coton blanc et un tablier. Il fut résolu qu'André et son ami Julien iraient à la fête costumés en pâtissiers. On aurait dit deux mouchoirs de poche. André s'éprit d'un petit garçon vêtu en diablotin, d'un collant noir à paillettes, mais, hélas ! rien ne put le faire remarquer de cette merveille dans la foule des petits garçons que leurs mères avaient habillés en pâtissiers. Le désespoir d'André fut tel que sa mère dut lui promettre que, l'année suivante, il irait à la fête en « lazzarone », ce qu'il fit ; mais le diablotin à paillettes n'y était plus.

Les vacances de Pâques se passaient à Uzès, chez la grand-mère Gide, qui tricotait d'innombrables chaussettes qu'elle abandonnait sans les terminer dans tous les coins de la maison. Sa belle-fille Anna, la femme de l'oncle d'André, Charles Gide, l'économiste, lui demanda un jour brutalement : « Je me demande, ma mère, pourquoi vous n'en achevez pas une ? » Et la vieille dame, très vexée, de répondre : « Achever, achever... Eh ! elle est bonne, Anna !... Il faut le temps. » Dans la porte du garde-manger, André découvrit un trou formé par un nœud dans lequel, avec son doigt, il sentit quelque chose de rond et de dur. La domestique lui expliqua que c'était une bille

mise là par son père lorsqu'il était enfant et que
personne n'avait jamais pu retirer. L'été suivant, André
laissa pousser son ongle et, dès son arrivée à Uzès, il
courut au garde-manger et parvint à extraire le trésor
caché. Ce n'était qu'une bille ordinaire ; déçu, il la
remit en place sans rien dire et tailla son ongle.

Aux vacances d'été, on allait à La Roque, une propriété normande achetée par le grand-père maternel de
Gide et dont la mère de celui-ci avait hérité. La
demeure était entourée de douves — quelle joie
d'habiter une île ! — au bord desquelles André pêchait
la truite et observait les hirondelles qui gazouillaient
autour de la maison, filant à travers l'azur par beau
temps ou rasant la surface de l'eau à l'approche de
la pluie. Tout autour, il y avait des bois que ne tra-
versait aucun sentier. André repoussa le plus longtemps possible le jour où il dut constater que ces bois
n'étaient pas infinis, qu'il y avait au-delà des champs
ordinaires.

Pour le Nouvel An, on allait à Rouen, où André
descendait chez son oncle catholique Henri Rondeaux
et jouait avec ses cousines, Jeanne, Valentine et
Madeleine, toutes trois filles de son oncle Émile, le
protestant. L'oncle Émile habitait rue de Lecat, comme
avant lui les parents de Flaubert, et possédait une
maison de campagne à Cuverville dans le jardin de
laquelle se dressait un énorme cèdre. Lorsque André
grimpait avec Jeanne jusqu'à ses branches les plus
hautes, les deux enfants pouvaient apercevoir, par
temps clair, la ligne argentée de la mer à une quinzaine
de kilomètres. André préférait Jeanne à Madeleine :
Jeanne était résolue et audacieuse ; elle savait grimper

aux arbres et, sans partager la passion de son cousin pour l'entomologie, elle acceptait d'aller avec lui retourner les bouses de vaches et les charognes pour découvrir des insectes destinés à sa collection. Madeleine avait deux ans de plus qu'André ; c'était une enfant timide et réservée qui allait se cacher avec un livre quand les jeux des autres devenaient trop bruyants. A Rouen, il y avait aussi avec eux Miss Anna Shackleton, orpheline d'un maître de forge écossais qui avait participé à la construction du chemin de fer Paris-Le Havre. Elle avait été la gouvernante de la mère d'André dont elle était devenue l'amie. Elle aimait la littérature allemande et lisait à André ses propres traductions de Gœthe ; mais son étude préférée était la botanique. Le dimanche, elle emmenait André dans des excursions organisées par le musée d'histoire naturelle du Jardin des Plantes, qui les conduisaient dans la campagne aux alentours de Paris. En compagnie de cette bande (selon l'expression de Gide) de vieilles demoiselles et de doux maniaques, elle cueillait des plantes pour son herbier ; pour sa part, André s'intéressait surtout aux insectes. La passion de celui-ci pour l'histoire naturelle naquit très tôt. Dans une lettre à son mari, sa mère écrivait, alors que l'enfant n'avait que quatre ans : « André serait très gentil s'il n'avait pas la manie de faire des stations, complètement immobile auprès d'un arbre, à chercher des colimaçons. »

En 1880, le père d'André mourut de tuberculose intestinale. Longtemps, l'enfant imagina que son père n'était mort que durant le jour, et qu'à la nuit, il revenait et demeurait jusqu'au matin dans la chambre de

sa mère. Celle-ci n'avait plus qu'André sur qui
reporter son amour. Et cet amour se referma sur
l'enfant avec une force et un sentiment de possession
dont elle n'avait eu ni le besoin ni l'audace de faire
montre envers son mari. Les études d'André furent de
nouveau interrompues. Toute la période du deuil,
l'enfant et sa mère vécurent à Rouen et à La Roque,
où André put profiter des leçons du précepteur de son
cousin. Au Nouvel An, on lui offrit un hectographe et
il entreprit la rédaction d'un journal familial. Faut-il
voir là le point de départ de sa vocation d'écrivain ?
Non, car si ses cousins apportèrent leur contribution
soit en vers, soit en prose, André, quant à lui, se borna
à citer des extraits de Buffon et de Boileau, pensant
que ces textes plairaient bien plus aux membres
de sa famille que tout ce qu'il aurait pu composer
lui-même.

L'année suivante, le souci causé à Mme Gide par la
santé d'André, ou peut-être la solitude de son veuvage,
conduisit celle-ci à Montpellier où le frère de son mari,
Charles, était professeur à la Faculté de Droit. Les nouveaux condisciples d'André le persécutèrent en raison
de son hérésie protestante. Ses parents ne lui avaient
pas appris l'existence en France de deux confessions
et il en avait eu la révélation au cours de sa première
récréation à l'École alsacienne, quand un groupe
d'élèves, l'entourant, lui avaient demandé crûment :
« T'es catholique, toi ? ou protescul ? » Mais à Montpellier, son statut de minoritaire devint plus grave.
Tous les jours il était poursuivi jusque chez lui par
une bande hurlante et parvenait auprès de sa mère,
horrifiée, couvert de boue et saignant du nez. Dans ses

rêves, il voyait son principal tortionnaire, l'affreux Gomez, et retrouvait l'odeur du chat mort que ce monstre lui avait frotté contre le visage. Une miséricordieuse attaque de petite vérole lui apporta la délivrance. Quand arriva le moment de retourner à l'école, il s'inventa un vertige, puis tout un répertoire de crises d'hystérie. Ces vertiges, d'abord simulés, devinrent réels. Bien qu'il les exagérât, il finit par ne plus être capable de les prévenir entièrement. Toutefois, plus que tout, ils apaisaient ses nerfs tendus, la terreur et le désespoir qu'il avait éprouvés un ou deux ans auparavant quand, au milieu d'une crise de larmes, il avait déclaré à sa mère : « Je ne suis pas pareil aux autres ! Je ne suis pas pareil aux autres ! » Souvent, par la suite, il regretta le temps où quelques entrechats et quelques spasmes suffisaient à le soulager ! Trois médecins appelés en consultation reconnurent l'authenticité de son mal. Mais son oncle Charles n'en fut pas impressionné pour autant. Un jour, André guetta sa venue, allongé sous une console. Plongé dans la lecture de son journal, son oncle allait passer sans le voir. Alors André se mit à geindre et à s'agiter. « Tiens ! qu'est-ce que tu fais là ? » demanda son oncle. « Je souffre ! » Mais l'oncle, impassible, reprit sa lecture et rentra dans sa bibliothèque. André en fut grandement mortifié, car il n'avait pas encore compris que son oncle refusait toujours de prendre au sérieux les maladies des autres.

L'été et l'automne furent employés à prendre des bains à l'acide carbonique à Lamalou, une station thermale voisine. A l'hiver, André regagna Paris et l'École alsacienne. Après une quinzaine de jours d'ennui, l'hys-

térie fut remplacée par une autre maladie, plus commode à l'école. Il fut affligé de migraines, de fatigue
mentale et d'insomnies qu'un médecin stupide traita au
bromure et au chloral. Chaque nuit, il y avait un verre
de chloral sur la table de chevet du petit garçon de
douze ans. A chaque repas il prenait un sirop composé
d'écorces d'oranges et de bromure de potassium. Ce
sirop avait si bon goût qu'il est étonnant que l'enfant
ait pu finir par perdre l'habitude d'en boire. Ses
migraines persistèrent jusqu'à sa vingtième année et
reprirent en 1916, alors qu'il n'avait plus aucun
besoin de feindre la maladie. Peut-être en conclut-il
qu'elles n'avaient pas été aussi imaginaires qu'il l'avait
cru.

Selon l'habitude, il passa les fêtes du Nouvel An à
Rouen auprès de ses cousines. Madeleine avait grandi,
mûrie précocement par un chagrin caché. La découverte
de ce secret fut l'événement majeur de l'enfance
d'André, une révélation qui modifia le cours de son
existence. Un soir, revenant d'une visite chez l'oncle
Émile et ne trouvant pas sa mère à la maison, il décida
de retourner surprendre ses cousines. Il ne rencontra
personne. Sans bruit, il monta à l'étage et gagna la
chambre de Madeleine où il trouva celle-ci en larmes,
à genoux au pied de son lit. « Je sentais que, dans ce
petit être que déjà je chérissais, habitait une grande,
une intolérable détresse, un chagrin tel que je n'aurais
pas trop de tout mon amour, toute ma vie, pour l'en
guérir. Je découvrais soudain le mystique orient de ma
vie. »

Le fardeau de Madeleine était lourd en effet pour
une enfant si jeune et si pure. Il lui fallait supporter

la conscience de l'infidélité de sa mère, secret connu
de tout Rouen qui s'en gaussait, et que seuls son père
et ses sœurs ignoraient encore. Peu après, sa mère
s'enfuit avec son amant, qu'elle épousa une fois son
divorce prononcé ; toute sa vie, Madeleine devait en
conserver l'horreur de l'amour charnel.

A leur retour à Paris, Mme Gide emménagea dans un
appartement plus vaste, au 4, de la rue de Commaille.
L'immeuble possédait une porte cochère, car, disait
la tante Claire Démarest : « Ce n'est pas une question
de commodité, mais de décence ». Et elle ajoutait :
« Tu le dois à ton fils ». Les quelques années suivantes virent se succéder une série de précepteurs
miteux et de professeurs de piano ridicules. En 1883,
Mme Gide emmena André assister aux récitals de piano
donnés par Rubinstein et aux concerts Pasdeloup. En
1884, ce fut au théâtre, et en 1885, lorsqu'il eut
seize ans, il put enfin, grâce à l'intervention de son
cousin Albert Démarest, avoir accès à la bibliothèque
de son père. L'image de sa cousine Madeleine l'accompagnait dans toutes ses lectures. En marge de chaque
passage qui lui semblait devoir mériter leur conjointe
admiration, leur étonnement ou leur amour, il inscri-
vait ses initiales. De plus, il entretenait une correspondance régulière avec elle. Leur découverte d'Homère
et d'Eschyle dans la sévère et majestueuse traduction
de Leconte de Lisle coïncida avec la lecture qu'il fit de
la Bible en vue de sa première communion. Toutefois,
aucun conflit ne se produisit entre les textes sacrés
des Grecs et des Hébreux : la beauté qu'il recherchait
dans les uns et dans les autres était la même. Il fut
déçu de ne trouver aucune réponse à son ardeur reli-

gieuse dans l'excellent, mais ennuyeux enseignement
que lui dispensa pendant deux ans un pasteur protestant. Il brûlait d'approcher les mystères divins et le
pasteur Couve se bornait à lui apprendre l'itinéraire
des voyages de saint Paul. Cependant, il lisait le
Nouveau Testament en tous lieux, même à la récréation, sans se soucier des quolibets de ses camarades.
La cérémonie de sa première communion, de par son
officialité et son apparat, ne lui apporta rien de neuf,
mais dans les Évangiles il trouva l'explication et la
justification de son amour pour Madeleine. Il se
dressa un emploi du temps auquel il se soumit stric-
tement. Il se levait à l'aube, prenait des bains glacés,
dormait sur une planche et se relevait au milieu de
la nuit pour s'agenouiller et prier. Tout cela, non pas
tant par mortification que par élan de joie. Peut-être
comprit-il plus tard que son amour pour sa cousine,
tout comme son amour pour Dieu, nécessitait l'absence
du Bien-Aimé. Il déclara que, durant ces brûlantes
mortifications de sa chair, il aurait pu, s'il avait tendu
l'oreille, entendre le Diable se frotter les mains et
ricaner dans son coin !

En octobre 1887, il retourna enfin à l'École alsacienne. Les dix-huit mois précédents, il avait étudié
avec trois excellents professeurs. Grâce à Marc de la
Nux, un élève de Liszt, il devint rapidement un excellent
pianiste. A la pension du protestant Jacob Keller et
au cours des étés passés à La Roque sous la tutelle du
pasteur Élie Allégret, André avait rattrapé les cinq
années perdues, depuis la mort de son père, en inces-
sants déplacements. A l'École alsacienne, et pour son
plus grand désarroi, il ravit bientôt la première place

au brillant Pierre Louis[1] en composition de français.
Quand le professeur annonça à la classe stupéfaite :
« Premier, Gide. Second, Louis », André sentit que tout
espoir de gagner l'amitié de Pierre était perdu. Louÿs
avait pâli et appointait un crayon avec un air insoucieux. Peu après, il trouva Gide lisant le *Buch der
Lieder* de Heine dans le texte allemand. « Tu aimes
donc les vers ? » s'exclama-t-il d'un ton surpris qui
ne cherchait pas à flatter. La découverte de ce goût
commun rendit les deux garçons inséparables. Gide
présenta Louÿs à sa mère qui le trouva « très bien
élevé, certainement un garçon distingué ». Ils échan-
geaient des poèmes au cours de leurs promenades
dominicales dans les bois de Meudon, et Gide expli-
quait la maladresse de ses vers en disant que son
cœur tout entier était occupé par la préparation d'une
œuvre en prose, *Les Cahiers d'André Walter*. Et il
confia à son compagnon l'amour qu'il portait à sa
cousine, et qu'*André Walter* serait pour elle une déclaration si noble et si émouvante qu'assurément il
obtiendrait son cœur et le consentement de leurs
parents à leur union.

L'enseignement de l'École alsacienne était jugé
insuffisant pour la dernière année de philosophie.
Louÿs passa donc au lycée Janson de Sailly, et Gide
au lycée Henri IV. Il n'y resta qu'un trimestre et
réussit ensuite à persuader sa mère qu'il pourrait
encore mieux faire en suivant des cours particuliers.
De cette manière, il trouva le temps de se joindre à
Louÿs et à Marcel Drouin pour le lancement d'une

---

1. A cette époque, il n'avait pas encore inventé l'orthographe
symboliste de son nom de plume : Louÿs.

revue scolaire ayant pour titre *Potache-Revue,* à laquelle
il donna « un dixain couleur de pluie », sous le pseu-
donyme inspiré des *Mille et une Nuits,* Zan-bal-dar. En
juillet 1889, il fut recalé au baccalauréat. Il se repré-
senta en octobre et, cette fois, il fut reçu de justesse.
En récompense, il obtint la permission de faire une
randonnée à pied à travers la Bretagne, mais pas seul.
Sa mère partit la première et leur itinéraire fut orga-
nisé de telle façon qu'André pût la rejoindre tous les
deux ou trois jours. Au Pouldu, il logea dans le même
hôtel qu'une bande d'artistes tapageurs. Leurs toiles
entassées contre le mur de la salle à manger ressem-
blaient à des bariolages enfantins, mais une vivacité
et une joie étranges se dégageaient de leurs coloris.
Gide consulta le registre de l'hôtel pour connaître les
noms de ces joyeux excentriques. Tous lui étaient
inconnus. L'un d'eux se nommait Paul Gauguin.

Au mois de février 1890, Pierre Louÿs écrivit à l'un
de ses amis que Gide était sur le point d'entreprendre
sa grande œuvre, mais « aux yeux de sa famille, il est
censé préparer sa licence de philo... De tous nos camarades, c'est celui qui a le plus d'avenir... Je t'assure
que je voudrais bien un jour avoir la prose qu'il a
aujourd'hui. » Le mois suivant, Gide se retira à Pierre-
fonds, un village avec un château et un lac au sud de
la forêt de Compiègne, pour y écrire *André Walter.*
L'endroit était trop proche de Paris. Au bout de deux
jours, Pierre Louÿs vint l'y relancer et l'accabler de
conseils aussi agaçants que ses railleries. Gide partit
donc vers la Savoie et s'installa à Menthon, sur les
bords du lac d'Annecy. Dans la solitude, il put se
maintenir dans « cet état de transport lyrique hors

duquel j'estimais malséant d'écrire ». Vers le milieu de l'été, il revint à Paris et lut son *André Walter* à son cousin Albert Démarest, qui réussit à le convaincre de supprimer les deux tiers des citations de l'Écriture : « On peut juger de cette abondance par ce qu'il en reste encore ».

André Walter [1] est un jeune et fervent protestant de dix-neuf ans, amoureux d'Emmanuèle [2], sa cousine orpheline et sa sœur d'adoption. Sa mère, mourante, se persuade que l'amour de son fils n'est que fraternel et, pour leur éviter à tous deux une union malheureuse, elle lui fait promettre de renoncer à sa cousine. Puis elle fiance Emmanuèle à un autre et les trois jeunes gens s'agenouillent et prient au pied de son lit [3]. Six mois plus tard, Emmanuèle se marie et André Walter commence à écrire. Il y a tout d'abord le « Cahier blanc », couleur du renoncement et de la chasteté. L'auteur y raconte la montée de son amour pour sa cousine, comment ils visitèrent ensemble les pauvres et prièrent côté à côte auprès d'un enfant mort, comment ils revinrent du Havre sur le siège extérieur de la voiture familiale en se récitant des vers, puis s'endormirent la main dans la main. Près des menhirs, au bord de la mer, ils regardèrent les phares s'allumer

1. L'origine de ce nom est significative. Mme Henriette André-Walther, 1807-1886, fut une protestante célèbre et une grande évangélisatrice dont la biographie, écrite par son fils, parut en 1889.

2. Gide continua de désigner par ce nom Madeleine, sa cousine et épouse, dans son autobiographie et son journal. Il paraîtrait que dans quelques exemplaires de la première édition d'*André Walter* l'héroïne s'était nommée Madeleine.

3. Peu de temps auparavant, Gide et sa cousine avaient été réunis ainsi au chevet d'un parent mourant : le père de Madeleine, Émile Rondeaux, l'oncle de Gide, qui mourut en mars 1890.

un à un. Il lui faisait la lecture, parfois en tête-à-tête dans la lingerie tandis qu'elle pliait le linge, parfois sous la lampe du cercle de famille ; mais même alors, lisant Hoffmann ou Tourgueniev, sa voix avait « des inflexions pour elle seule ». Ou encore ils lisaient de conserve Homère, Heine, Spinoza, Dante, assis devant la table, le livre entre eux. Et, une fois (Gide fait ici allusion à ce jour de consécration dans la chambre de Madeleine, rue de Lecat), il l'avait trouvée en larmes dans sa chambre. Tandis qu'il écrit, le printemps passe, apportant de nouveaux désirs auxquels il résiste victorieusement. A l'été, son renoncement est total. « Puisqu'il faut que je la perde, que je te retrouve au moins, mon Dieu... et que tu me bénisses d'avoir suivi la route étroite. » Cependant, alors qu'il entreprend la rédaction de son roman *Allain*, la nouvelle de la mort d'Emmanuèle lui parvient. Son sacrifice a été vain.

Il commence alors d'écrire le « Cahier noir », couleur de deuil et de désespoir. Emmanuèle revient vers lui dans des rêves qui frôlent l'hallucination. *Allain* sera l'histoire d'un drame intérieur entre l'Ange et la Bête, l'âme et le corps, qui prendra fin sur la folie du héros. « La course à la folie... lequel des deux arrivera le premier, d'Allain ou de moi ? », s'écrie avec égarement André Walter. C'est Allain qui gagne, mais son créateur, son double, le suit de près. André Walter est victime d'une fièvre cérébrale, ce mal fabuleux de la fin du dix-neuvième siècle, considéré comme la conséquence naturelle d'une tension nerveuse et d'un amour déçu. Peu avant sa mort, il écrit la dernière page de son journal : « Ce qui était très gentil, c'est qu'Em-

manuèle a veillé tout le temps au chevet de mon lit,...
même qu'elle me donnait à boire. D'abord je ne la
reconnaissais pas..., c'est très drôle ! je croyais qu'elle
était morte ; nous avons bien ri tous les deux quand
je lui ai dit ça ». Dehors, la neige tombe — ou bien
imagine-t-il cela aussi ? La blancheur du sacrifice et
de la charité l'a conduit à la blancheur de la mort, au
froid des ténèbres extérieures. « Comme c'est blanc, la
neige... La neige est pure. »

André Walter était à Gide ce qu'*Allain* était à André
Walter : un livre dans lequel il mit tout son univers
spirituel et charnel, toute sa jeune ferveur pour la
religion, les livres, l'amour. Il ne voyait pas dans ce
livre la première étape d'une carrière littéraire, mais
une fin en soi, au delà de laquelle il y aurait peut-être
la folie et la mort qui avaient terrassé son héros. Mais
son roman avait également un objectif beaucoup plus
pratique. C'était une déclaration d'amour à sa cousine,
un appel à leur commune expérience, littéraire et religieuse, et un avertissement des conséquences que
pourrait avoir le refus d'une union qui, dans son
esprit, semblait déjà une chose accomplie. Et c'était
aussi un acte de rébellion et une revanche contre sa
mère, une tentative d'échapper, par l'exutoire intellectuel d'une œuvre d'art, à son emprise écrasante. Walter,
il est vrai, obéit à sa mère, mais cette contrainte cause
la mort de sa cousine et la sienne, et est immédia-
tement punie par celle de la mère. Comme les choses
allaient être différentes dans la réalité, cinq ans plus
tard ! Mᵐᵉ Gide allait mourir en laissant son fils en
possession de sa cousine et de ses désirs les plus
interdits. Mais, entre-temps, *André Walter* ne produisit

pas l'effet souhaité sur Madeleine Rondeaux. Celle-ci garda pour elle l'opinion qu'elle avait de son livre, refusa la demande en mariage qui en accompagnait l'envoi et cessa de répondre à ses lettres.

Blessé par ce refus, bien que peut-être inconsciemment soulagé, Gide, au cours des cinq années suivantes, se détacha graduellement de sa cousine. Le refus le libéra de ses entraves et il entreprit alors d'explorer l'autre versant de sa nature. Dans sa vie et ses écrits, il s'achemina vers la libération par les sens et parvint peu à peu à la découverte, d'abord douloureuse, puis heureuse, de son homosexualité. Mais, d'autre part, il était également tiraillé entre le désir de punir sa cousine par son ironie hostile et le spectacle de son laisser-aller moral, et celui, quasi incompatible, de regagner son amour en lui faisant sentir l'importance de la perte qu'entraînait son refus. Rien d'étonnant que Madeleine Rondeaux désapprouvât plus encore ses œuvres suivantes, où toutes ces idées sont plus évidentes que dans *André Walter*. Au cours de l'été 1892, leurs rencontres et leur correspondance reprirent, trop tard toutefois pour leur salut en ce monde. Elle lui écrivit alors : « Je redis la prière que, toute petite fille, je faisais pour toi : *Mon Dieu, donnez-moi la foi, augmentez la foi d'André et faites qu'il apprenne de vous à être doux et humble de cœur...* et j'ajoutais : *Faites que nous nous aimions toujours.* Seulement ceci, je ne le demande plus ». A propos des *Poésies d'André Walter*, elle déclara : « Bien ennuyeux et bien mauvais. Je t'assure que tu n'as pas été long à descendre du piédestal — oh, très petit piédestal ! — sur lequel t'avaient juché les *Cahiers* et le *Narcisse* ».

Dans sa préface à l'édition de 1930, Gide commence ainsi la critique la plus sévère qui soit de son premier livre : « Ce dont je souffre le plus en relisant mes *Cahiers*, c'est une complaisance envers moi-même dont chaque phrase reste affadie... souvent ce que je prenais pour la plus sincère expression de moi-même n'était dû qu'à ma formation puritaine qui, comme elle m'enseignait de lutter contre mes penchants, satisfaisait un goût de lutte et de spécieuse austérité... Je crois André Walter de très mauvais exemple et ses *Cahiers* d'assez médiocre conseil ». Ce jugement n'a rien d'étonnant puisque André Walter est un jeune homme qui devient fou par renoncement, alors que Gide devait apprendre que renoncement et jouissance sont également nécessaires, également sains et naturels. Le mauvais exemple donné par Walter est d'être incapable de pratiquer l'un et l'autre, tout comme l'Immoraliste de Gide devait devenir fou, ou presque, par excès contraire : celui de jouir sans renoncement.

Une trop haute opinion d'*André Walter* serait disproportionnée par rapport à l'ensemble des œuvres de Gide. C'est un livre remarquable venant d'un jeune homme de vingt ans, mais c'est le livre d'un talent précoce, non d'un génie. Paragraphe par paragraphe, il peut offrir un agréable sujet de méditation lyrique et philosophique. Mais, pris dans son entier, il est illisible. Sur la foi de cette première œuvre, personne n'aurait pu prédire que Gide saurait jamais raconter une histoire ou atteindre la pureté de style qui fut la sienne. La composition des *Cahiers* n'est pas tant complexe que désordonnée. André Walter passe sans avertissement du présent au passé ; les extraits du

journal antérieur[1] forment un journal à l'intérieur
d'un autre ; *Allain* est un roman à l'intérieur d'un autre
roman ; et le résultat est un invraisemblable fatras.
Pierre Louÿs l'avait mis en garde : « Je te conjure
de soigner ta forme. Sans la forme, l'idée n'est
comprise que des contemporains, c'est la forme qui
fait vivre ». Et il lui conseillait, aussi vainement, de
préciser davantage la personnalité d'André Walter, de
le montrer « de plein jour », d'en faire « un type
vivant ». Mais Gide désirait écarter toute contingence
en rendant ses personnages, scènes et événements aussi
généraux que possible. « Et comme le drame est
intime, rien n'en apparaît au dehors, pas un fait, pas
une image, sinon peut-être symbolique. » L'évidente
stérilité de ce principe sur lequel était fondé *André
Walter* lui révéla la vérité du paradoxe selon lequel
l'universalité d'une œuvre d'art est fonction de sa
particularité.

---

1. C'est là tout ce qu'il nous reste du journal de Gide, commence
en 1887 et détruit par la suite. Ses journaux publiés commencent
en 1889.

CHAPITRE II

LA SERRE CHAUDE DU SYMBOLISME

LE TRAITÉ DU NARCISSE, LE VOYAGE D'URIEN, LA TENTATIVE AMOUREUSE, PALUDES

> « Le jardin symbolique s'ouvre à
> nos pieds, fleuri, parfumé. On n'en
> sort plus. »
>
> Valéry à Gide, mars 1891.

Gide et Louÿs avaient décidé ensemble que chacun écrirait une page du premier livre de l'autre. Gide déclara plus tard : « Nous nous sentions aussi peu capables, moi d'écrire un de ses sonnets, que lui d'écrire une page de mes *Cahiers*. » Louÿs finit par rédiger une simple préface ironiquement respectueuse à *André Walter,* dans laquelle il déplorait la mort prématurée de son jeune ami au talent si prometteur. Pour prolonger cette fiction, *André Walter* parut anonymement, en janvier 1891, dans une édition de luxe tirée à deux cents exemplaires, ainsi que dans une édition courante [1], destinée à satisfaire une imaginaire

---

1. La couverture de cette édition est ornée d'une vignette représentant une sirène ailée avec l'inscription : « Non hic piscis omnibus ».

demande populaire. Les acheteurs furent si peu nombreux et cette édition comportait tant de coquilles
que Gide finit par se rendre en fiacre chez le brocheur
pour prendre tous les volumes restants et les porter
au pilon. Ce fut avec un plaisir mêlé d'amertume qu'il
reçut la petite somme que représentait le poids du
papier.

Toutefois, Louÿs insista pour faire connaître le livre
de son ami de plus d'une manière. Louÿs était devenu
un habitué des mardis de Mallarmé et des samedis
de Heredia, chez lesquels il présenta à Gide les géants,
et les nains, du Symbolisme et du Parnasse. Il enseigna
à Gide les principes de ce qu'il appelait l'*auto-*
lancement : « Ne jamais demander quoi que ce soit
à personne, faire croire qu'on n'a besoin de personne »,
et ainsi de suite. Sur ses conseils, Gide, avec un
écœurement grandissant, colporta son livre de génie
en génie. Quelle revanche ne couvait-il pas sous son
masque de gratitude déférente ! Tout cela prit fin
lorsque, à court de célébrités, il entreprit la visite
d'écrivains médiocres. « Aller voir Vanor ? » s'écria
Henri de Régnier, « mais il en parlerait toute sa vie ! »
Gide se jura alors, et il tint parole, de « se dérober
au succès ».

Entre-temps arrivèrent des compliments de tous les
grands écrivains de l'époque ; pour l'ami d'un ami, ils
ne pouvaient moins faire. Mallarmé, Huysmans,
Maeterlinck, Barrès, Bourget, Marcel Schwob lui
adressèrent des louanges dithyrambiques. Maeterlinck
lui écrivit : « C'est, à certains moments, éternel comme
L'Imitation ». Et Barrès déclara : « Je voudrais qu'à
chaque janvier, on saluât un nouveau prince de la litté-

rature ». Régnier, Maurras, Gourmont publièrent des articles dans lesquels *André Walter* était comparé à *Werther,* à *Dominique* et à *Volupté* de Sainte-Beuve. Au milieu de ce concert de louanges, seul Redonnel fit entendre une note discordante : « On me dit que Maurice Barrès s'en est épris ; de quoi je ne suis pas étonné ». Gourmont fit une prophétie remarquablement perspicace : « Une de ces années, lorsqu'il aura reconnu l'impuissance de la pensée sur la marche des choses, le mépris qu'elle inspire à cet amas de corpuscules dénommé la Société, il se réveillera armé d'ironie ».

Grâce, encore une fois, à Pierre Louÿs, Gide venait de connaître une amitié qui allait durer beaucoup plus longtemps que ces éphémères coups de chapeau. En juin 1890, à l'occasion de la célébration du sixième centenaire de l'université de Montpellier, Louÿs avait fait la connaissance d'un jeune poète de cette ville, Paul Valéry [1], un admirateur de Poe et de Mallarmé. En décembre, Gide, recommandé par Louÿs, rendit visite à Valéry. Cette visite fut suivie d'une correspondance exaltée et de la plongée temporaire de Gide dans Mallarmé et les Symbolistes. Il écrivit à Valéry, le 26 janvier 1891 : « J'étais, alors encore que je vous avais vu, frondeur acharné de ce que je puis dire votre « école »... depuis tout est changé... toutes leurs théories me semblent une apologie directe de mon livre... Donc Mallarmé pour la poésie, Maeterlinck pour le drame et moi pour le roman ». Chose plus étonnante encore, Gide, non content de se découvrir

---

1. Georges, le frère de Pierre Louÿs, écrivit à ce dernier de « ne pas trop se dégider » et Louÿs lui répondit : « Lorsque je me valéryse, je ne dégide pas, au contraire. »

tout à coup romancier symboliste, devint poète symboliste. En un peu plus d'une semaine, il composa les
vingt poèmes délicieux, ironiques, qui constituent les
Poésies d'André Walter, dans lesquels Walter (« Il ne
paraît pas que l'André Walter des *Cahiers* eût été capable de les écrire ; je l'avais déjà dépassé », dira Gide
plus tard) se rappelle les étés passés auprès d'Emmanuèle avant la mort de sa mère. Son œuvre suivante
fut également inspirée par son émulation avec Valéry.
Ils s'étaient promenés ensemble dans les jardins publics
de Montpellier, près du cénotaphe portant l'inscription *Placandis Narcissae manibus* (Pour le repos de
l'âme de Narcissa), cénotaphe érigé à la mémoire de la
fille du poète anglais Young (l'auteur de *Night
thoughts*). L'ombre de Narcissa appela celle de Narcisse.
Valéry composa ses merveilleux alexandrins, *Narcisse
parle*, et Gide la prose du *Traité du Narcisse*, dédié à
Valéry [1].

Les poèmes posthumes d'André Walter et *Le Traité
du Narcisse* furent les seuls fruits de l'idylle symboliste de Gide. Narcisse, à la recherche d'un miroir, non
tant pour son visage que pour son âme, se penche
sur le fleuve du temps qui prend sa source dans le futur,
traverse le présent où se pose le regard de Narcisse et
coule vers le passé. Il vient et retourne au Paradis,
jardin de l'Idéal [2], où Adam, insexué et morose, arracha
un rameau à l'arbre Yggdrasil et, chassé, dut connaître

1. Par une étrange coïncidence, Gide avait déjà songé à ce titre
au mois de mai précédent, avant même d'avoir entendu parler
de Valéry, et celui-ci avait déjà écrit, en septembre, une première
version de son poème sous forme de sonnet.
2. C'est là une idée que Gide, non seulement emprunte à Platon,
mais qui le rapproche, pour la première et la dernière fois, du

l'imperfection de l'amour et la quête de la vérité perdue. Et Narcisse, cherchant en vain à embrasser son reflet dans l'eau, comprend qu'on ne peut posséder un symbole, qu'il faut se contenter de le contempler. Cette solution typiquement symboliste ne put satisfaire Gide longtemps. Les symbolistes étaient trop empressés à déclarer que tout était symbole, mais de quoi, c'est ce qu'ils ne pouvaient ou ne voulaient découvrir. La véritable obscurité de Mallarmé ne réside pas dans la densité de sa pensée, mais dans son absence d'objet. Ses poèmes tendent à être au sujet de rien. Son tissage des images qui voilent la vérité se fait au prix de cette force qui lui aurait permis de la percer. Dans ses plus grands poèmes, *La Jeune Parque* et *Le Cimetière marin*, Valéry dépassa le symbolisme grâce à sa conviction que la vérité, quelle qu'elle fût, n'était pas seulement intellectuelle et artistique, mais également morale, et qu'un effort moral était nécessaire pour l'atteindre. Il en fut de même pour Gide. Il pénétra dans la « serre chaude symboliste » à la recherche d'un exutoire à la tension morale d'*André Walter*, et n'y trouva que calme plat. Cet air, que les autres étaient satisfaits de respirer toute leur vie, le suffoqua. Tous ces gens qui vivaient en vase clos ! Il quitta cette serre et la mitrailla de l'extérieur, aidé, une fois de plus, par une nouvelle amitié rencontrée opportunément.

Oscar Wilde était alors exactement au sommet de son existence, entre le ridicule recherché de ses débuts

---

temps retrouvé de Proust. Gide et Proust étaient à la recherche de la même vérité éternelle, mais pour la saisir Gide va de l'avant alors que Proust revient en arrière.

et la dégradation voulue de sa fin. Plus Bunthorne et pas encore Melmoth, il était, selon sa propre expression, le roi de la vie. En novembre 1891, il vint à Paris. Gide entendit parler de lui chez Mallarmé et s'arrangea pour être invité à un dîner où il serait présent. Wilde, brillant mais réservé, l'observa. A la fin du repas, il dit à Gide : « Vous écoutez avec les yeux ; voilà pourquoi je vous raconterai cette histoire ». Et il lui raconta la parabole de la rivière, amoureuse de Narcisse [1] parce qu'elle pouvait voir dans ses yeux le reflet de ses eaux. « Je n'aime pas vos lèvres », dit-il encore à Gide, « elles sont droites comme celles de quelqu'un qui n'a jamais menti ». Aussitôt après la visite de Wilde, les indices d'un prochain dégel moral apparaissent dans le journal de Gide. Tout d'abord, il repousse cette nouvelle influence ; puis, peu à peu, il se laisse séduire. « Wilde ne m'a fait, je crois, que du mal. Avec lui, j'avais désappris à penser. J'avais des émotions plus diverses, mais je ne savais plus les ordonner. » « Je m'agite dans ce dilemme : être moral ; être sincère. » « O mon Dieu, qu'éclate cette morale trop étroite et que je vive, ah ! pleinement, sans crainte, et sans croire que je m'en vais pécher. » Toutefois, il est encore inconscient de sa destinée physique [2]. « J'ai vécu jusqu'à vingt-trois ans complètement vierge et dépravé. » « Vraiment, il y aurait quelque joie à se sentir robuste et normal. J'attends. »

1. Ceci, à moins d'être une extraordinaire coïncidence, prouverait que Wilde avait lu *Le Traité du Narcisse* de Gide et qu'il estimait que cette parabole s'appliquait doublement à son interlocuteur.
2. « Rien, depuis que je fréquentais Wilde [avant 1895], ne m'avait jamais rien pu faire soupçonner », affirme Gide.

Le second roman de Gide, *Le Voyage d'Urien,* ne fut publié qu'en août 1893. Mais le dernier chapitre parut séparément en décembre 1892, sous le titre *Le Voyage au Spitzberg* et Gide s'empressa de le soumettre à Mallarmé. Le maître l'accepta d'un air désapprobateur, mais à leur rencontre suivante, il accueillit Gide avec enthousiasme en s'écriant : « Ah ! vous m'avez fait grand-peur, je craignais que vous n'y fussiez allé ! » L'appréhension de Mallarmé était vaine, car le voyage accompli par Urien sur le solide navire *Orion* est aussi imaginaire que ses dix-neuf compagnons aux noms euphoniques [1]. Les paysages fabuleux de cet ouvrage sont ceux du *Bateau Ivre,* de Rimbaud, et de *Vingt mille lieues sous les mers,* de Jules Verne. Les villes-mirages sont celles de *Salammbô,* les horreurs sont tirées de Poe et, tout comme *l'Arthur Gordon Pym* de ce dernier, *Le Voyage d'Urien* est un voyage vers un pôle fantastique. La première partie, *Voyage sur l'océan pathétique,* est le récit d'une suite de tentations hétérosexuelles de plus en plus pressantes. Dans le palais de la reine-vampire, Haïatalnefus, huit « faux chevaliers » succombent à ces tentations et sont victimes d'un mal horrible ainsi que leurs compagnes de plaisir. Les douze apôtres de la pureté (« sentant très vivement ce que nous ne voulions pas être, nous commençâmes de savoir ce que nous étions ») survivent et

---

1. Alain, Paride, Mélian, Nathanael, Tradelineau, Agloval, Angaire, Cabilor, Morgain, Odinel, Lambègue, Alfasar, Hector, Ydier, Axel, Clarion, Aguisel, Eric, Hélain.

Angaire, c'est Valéry ; Cabilor, Pierre Louÿs ; Ydier, Drouin ; Tradelineau, Maurice Quillot ; Alain, André Walter ; et sans aucun doute pouvons-nous penser que d'autres héros du Symbolisme et du Parnasse se cachent sous les autres noms.

atteignent la mer des Sargasses de l'ennui, où l'*Orion* rétrécit jusqu'à n'être plus qu'une petite felouque[1]. Ils remontent alors un fleuve paresseux qui coule entre les herbes et sur les rives duquel des hérons couleur de fumée cherchent des vers de vase. C'est là qu'ils rencontrent, venue par la terre, vêtue d'une robe à pois, d'un châle écossais, tenant une ombrelle cerise, mangeant une salade d'endives et lisant les *Prolégomènes à toute métaphysique future*, la « chère Ellis » d'Urien. « Le revoir fut assez morne, et comme nous avions cette habitude de ne nous parler que de ce que nous savions ensemble, à cause des routes différentes suivies, nous ne trouvions rien à dire. » Ellis persiste dans ses habitudes de lecture et, pire encore, elle en contamine les autres. Un matin, Urien trouve ses compagnons assis sur la rive, à lire des brochures morales qu'Ellis leur a distribuées. « Ne sais-tu pas, Ellis, malheureuse, que le livre est la tentation ? Et nous sommes partis pour des actions glorieuses ! » Et il jette à l'eau la valise d'Ellis qui contient encore la *Vie de Franklin*, une petite flore des climats tempérés et *Le Devoir présent* de Paul Desjardins[2]. « Ellis n'avait rien compris ; je m'en aperçus à l'irritation qui me prit soudain contre elle. » Ils redescendent le fleuve

---

1. Cf. le bateau-fantôme dans *Le Manuscrit trouvé dans une bouteille*, de Poe, qui, au contraire, grandit.

2. Ce tour fut joué à Gide par Henri de Régnier au cours d'une visite à Belle-Isle, en août 1892, époque à laquelle Gide composait ce chapitre d'*Urien*. Gide lisait sa Bible ou *Wilhelm Meister* (racontant cette anecdote, trente ans plus tard, Régnier ne se souvenait plus duquel de ces deux livres il s'agissait), lorsque Régnier s'empara du livre et le jeta à l'eau en demandant : « Gide, pourquoi lisez-vous ceci au bord de la mer ? » Mais Gide, plus obstiné que la pauvre Ellis, plongea pour repêcher son livre.

mystérieux. Urien observe son image dans l'eau noire et lit « dans le pli de mes lèvres[1] l'amertume du regret qui les plisse. Ellis ! Ne lisez pas, je n'écris pas pour vous ces lignes ! vous ne comprendriez jamais tout le désespoir qu'a mon âme ». Ellis a la fièvre et commence à « délirer légèrement ». Un terrible doute s'empare alors d'Urien. L'Ellis qu'il connaissait était brune, et celle-ci est blonde ! Urien lui dit : « Ellis, vous êtes un obstacle à ma confusion avec Dieu, et je ne pourrai vous aimer que fondue vous aussi en Dieu même ». Lorsqu'ils abandonnent la pauvre Ellis sur le rivage pour voguer sur la mer glaciale vers le Pôle, « elle n'avait déjà presque plus de réalité ». Et Urien déclare : « Je n'aime pas les mélancolies sentimentales ».

Les voyageurs sont atteints par le scorbut. Ils en guérissent grâce aux Esquimaux. La nuit polaire survient et la mer gèle. Ils construisent un traîneau avec le bois de leur navire, brûlent le reste et se mettent en route[2]. Pendant le sommeil de ses compagnons, la véritable Ellis, la brune, apparaît à Urien. Il lui dit : « Sur une berge, un jour, je pensais t'avoir retrouvée ; mais ce n'était qu'une femme ». Ellis lui répond : « Je t'attends au-delà des temps, où les neiges sont éternelles... (l'autre Ellis) ne vivait pas ; tu l'as faite ; il te faudra l'attendre maintenant... Il te faudra guider cette autre. Vous finirez votre voyage ; mais cette fin n'est pas la vraie ; rien ne finit qu'en Dieu, mon frère ». Puis elle trace sur la neige un texte extrait

1. Voir la réflexion de Wilde citée plus haut.
2. Cette dernière partie emprunte beaucoup au *Capitaine Hatteras : Les Anglais au Pôle nord*, de Jules Verne.

de l'Épître aux Hébreux de saint Paul : « Ils n'ont pas encore obtenu ce que Dieu leur avait promis — afin qu'ils ne parvinssent pas sans nous à la perfection [1] ». La séraphique Ellis monte au ciel où les anges l'acclament. Un peu plus loin, ils découvrent le Pôle, au-delà duquel il n'y a plus rien qu'un lac dégelé et une mer aux eaux libres. Les voyageurs s'agenouillent pour attendre « que les choses, autour, nous devinssent un peu plus fidèles » et Urien achève sa confession à Ellis :

> Madame ! je vous ai trompée :
> nous n'avons pas fait ce voyage.
> Nous n'avons pas vu les jardins
> ni les flamants roses des plages ;...
> Mais les tentations ne me sont pas venues...
> préférant de mentir [2] encore
> et d'attendre, — d'attendre, d'attendre...

La prédiction de Remy de Gourmont s'était réalisée : Gide s'était réveillé armé d'ironie. Dans *Urien*, comme dans beaucoup d'œuvres de Gide, on peut distinguer deux sens principaux, l'un universel, l'autre personnel. *Urien* est une satire de la quête spirituelle, de l'action sans vie. Les chastes voyageurs résistent à la tentation et ne trouvent que l'ennui ; ils atteignent le Pôle et ne peuvent rien faire d'autre que s'agenouiller et attendre que la vie les rattrape ; c'est tout comme s'ils n'avaient pas accompli ce voyage. Mais cette satire

---

1. Ce texte est cité par Alissa dans *La Porte étroite*, lors de sa dernière rencontre avec Jérôme. On peut penser que, dans chacun des cas, Gide a inséré dans ses ouvrages, à l'intention de sa cousine, des paroles échangées entre eux vers 1880.
2. Voir encore une fois la réflexion de Wilde citée plus haut.

s'adresse également aux Symbolistes et aux Parnassiens. Les amis d'Urien aux noms absurdes ne sont bons qu'à voguer sur la mer des Sargasses des mardis de Mallarmé ou sur les océans légendaires des samedis de Heredia, chez qui quelques faux chevaliers, que Gide dédaignait de suivre, passaient du fumoir au salon pour converser, ainsi qu'avec Haïatalnefus, avec Mme de Heredia et ses filles [1]. Mais le passage le plus frappant du livre est celui des deux Ellis. L'Ellis passionnée de lecture représente la revanche de Gide-Walter sur Madeleine-Emmanuèle qui l'avait repoussé et lui était devenue un obstacle. L'Ellis séraphique personnifie la survivance de leur amour spirituel ; toutefois l'attitude de Gide à son égard n'est pas exempte d'ironie.

Au cours de l'été de 1893, Gide aborda le sujet sous un nouvel angle avec un autre « traité » : *La Tentative amoureuse ou le Traité du vain Désir*. Rachel se donne à Luc au printemps. Durant tout l'été, dans un château qui est l'image même de La Roque, ils subissent l'ennui grandissant des plaisirs de l'amour et, à l'automne, ils se quittent. « N'êtes-vous pas toute ma vie ? » demande Rachel, et Luc répond : « Mais vous, vous n'êtes pas toute la mienne. Il y a d'autres choses encore ». Ici, ce n'est plus l'opposition entre l'amour et la chasteté, mais entre l'amour et la liberté. Gide approchait alors du pôle opposé à la dévotion absolue qu'il avait éprouvée pour sa cousine, onze ans auparavant. Il écrivait dans son journal : « Lorsque je voudrai goûter à ces choses, que je m'étais défendues

---

1. Marie épousa Henri de Régnier en 1895 et, en 1899, Louise devint, pour quelque temps, la femme de Pierre Louÿs.

comme trop belles, ce ne sera pas comme un pécheur, en cachette, avec l'amertume déjà du repentir ; non, mais sans remords, avec force et joyeusement ».

Dès 1890, tandis que sur les bords du lac d'Annecy il était plongé dans la passion lyrique d'*André Walter* qu'il était en train d'écrire, Gide avait confié à un compagnon imaginaire ses voyages futurs. Et cet ami, il se le représentait sous les traits, non de Pierre Louÿs, mais de Paul-Albert Laurens, fils du peintre et son camarade depuis l'École alsacienne. Il passa une grande partie de l'été à Yport, avec Laurens et sa famille. Au mois d'octobre, les deux jeunes gens partent pour un grand voyage. Urien entreprend enfin un vrai voyage. Et Gide nous dit qu'il se refusa à emporter sa Bible avec lui.

En entrant dans le port de Tunis, ils aperçurent du pont du navire une bande de poissons dorés et, sur le rivage, une caravane de chameaux. Les deux amis s'engagèrent dans le désert, en direction du sud, et, à Sousse, Gide tomba malade. Le médecin crut diagnostiquer la tuberculose [1]. Ils passèrent l'hiver à Biskra et, tandis que Laurens allait peindre l'oasis en compagnie d'Athman, leur jeune serviteur, portant le chevalet et les toiles, Gide, convalescent, s'asseyait sur la terrasse de l'hôtel ou dans le jardin public et observait les enfants bruns qui jouaient autour de lui. Le printemps algérien et sa guérison marquèrent pour lui le début d'une vie nouvelle, une rupture avec son éducation puritaine et la reconnaissance de la vraie nature

---

1. En novembre 1892, Gide était parti pour le service militaire, mais il fut réformé au bout d'une semaine. Diagnostic : tuberculose — le mal dont son père était mort.

de ses désirs. Les deux jeunes gens, las d'une longue virginité, résolurent de « renormaliser » leur état et se partagèrent les faveurs exotiques d'une jeune Ouled-Naïl nommée Meriem, mais Gide donna à cet acte d'hygiène un sens tout différent de Laurens. Dans les bras de Mériem, il prit conscience que son penchant naturel l'inclinait plutôt vers le peti Ali, qu'il avait connu à Sousse, ou vers les enfants de la terrasse de l'hôtel. L'arrivée soudaine de la mère de Gide, alarmée par la nouvelle de sa récente hémorragie, mit un terme provisoire à ces ébats. En avril, Gide et Laurens prirent le chemin du retour en passant par Syracuse et Rome ; en mai, ils atteignirent Florence (où Gide rencontra de nouveau Wilde), et se séparèrent. Gide alla à Genève consulter le docteur Andreae, un ami de son oncle Charles Gide, qui le convainquit avec raison que seuls ses nerfs, pas son système respiratoire, étaient déficients. Il lui prescrivit une cure d'hydrothérapie à Champel et un hiver à la montagne.

Pierre Louÿs rejoignit bientôt Gide à Champel. Enflammé par l'histoire de Mériem, Louÿs se précipita en Algérie et l'enleva pour s'installer avec elle à Constantine. Un mois passé auprès de ses charmes lui permit d'achever ses *Chansons de Bilitis* et d'envoyer à Gide un télégramme ainsi conçu : « Athman affolé se marie. Ouled-Naïls sont retour de Chicago et chantent Tararaboum avec trop d'accent anglais ».

Les plaisanteries de Louÿs n'étaient pas toutes aussi innocentes. Son rôle de professeur de forme et de distanciation littéraire était terminé et son amitié avec Gide s'était transformée en un feu roulant de mystifications, pleines d'esprit, mais désagréables par leur désir sous-jacent de blesser, et parce qu'elles naissaient d'un sentiment de jalousie et d'infériorité. Il adressait des lettres méchantes au nom de M. Urien et de Mlle Andrée Gide qu'il signait Jules Laforgue, Maeterlinck ou Emmanuèle. Ou encore Gide recevait une lettre non timbrée pour laquelle il devait payer cinquante centimes et qui ne contenait qu'une feuille de papier où Louÿs avait écrit de sa belle écriture, à l'encre violette : « Coût cinquante centimes (à suivre) ». De retour à Paris, Gide retrouva partout l'insipide dilettantisme de Louÿs. Plein d'une expérience nouvelle, Gide fut horrifié de constater que les salons demeuraient inchangés. Sa déception fut telle qu'il éprouva l'envie de se suicider. Pour réagir, il alla passer l'automne à Neuchâtel, en Suisse, dans un hôtel dont la salle à manger s'ornait de deux pancartes : « L'Éternel est mon berger ; je n'aurai point de disette » et « Limonade aux framboises ». Ce fut à La Brévine, où il passa ensuite l'hiver, que Gide écrivit *Paludes*.

Paludes, c'est l'histoire d'un homme qui écrit un livre de ce nom. Sur quel sujet ? C'est précisément la question, difficile, que tous ses amis lui posent. Et parce que son livre est censé avoir la même signification pour chaque lecteur, il fait à chacun une réponse différente, « car la seule façon de raconter la même chose à chacun, c'est d'en changer la forme selon chaque nouvel esprit ». Et Gide lui-même avoue dans sa préface : « Avant d'expliquer aux autres mon livre, j'attends que d'autres me l'expliquent ».

Paludes raconte donc l'histoire de Tityre, qui vit dans un marais en bordure d'un fleuve semblable à celui d'*Urien* ; chez lui, comme Gide à La Roque, il peut pêcher d'une fenêtre de sa chambre. Il se nourrit d'abord de sarcelles, puis, un prêtre lui ayant appris que c'est là un grand péché, il essaie les vers de vase (comme les hérons dans *Urien*) et finit par y prendre goût. Ce qui est horrible, c'est que Tityre soit content ; et le but de l'auteur, qui dépeint la satisfaction d'une vie d'un intolérable ennui, est d'irriter le lecteur. « Ce n'est pas des actes que je veux faire naître, c'est de la liberté que je veux dégager. » Une quantité d'autres explications sont ensuite avancées. *Paludes*, c'est l'histoire d'un homme incapable de voyager ; c'est l'histoire d'animaux vivant dans des cavernes obscures et qui perdent la vue à force de ne pas s'en servir ; c'est l'histoire de l'homme normal, la troisième personne qui habite chacun de nous et qui survit à notre mort. La morale de ce conte est que chacun de nous est prisonnier, mais se croit libre. Et lorsque ses interlocuteurs se récrient que le cas de Tityre est trop particulier, il rétorque par une des maximes favorites de Gide : « Il suffit qu'il y ait possibilité de généralisation, c'est au lecteur, au critique de la faire. »

Les amis de l'auteur ne sont pas seulement son auditoire, mais également la cible de sa satire. Angèle, une dame amoureuse des belles-lettres, dont les réflexions sont toujours agaçantes, et quelquefois justes, est l'Ellis d'*Urien*, mais tellement transformée qu'elle n'a plus rien de commun avec la cousine de Gide. « Mon grand ami Hubert » est évidemment Pierre Louÿs [1]. D'ailleurs Louÿs lui-même se reconnut lorsque,

1. Mais c'est un peu aussi le nouvel ami de Gide, Eugène Rouart, à qui, au grand dépit de Louÿs, ce livre fut dédié.

ayant emprunté le manuscrit de *Paludes* à Valéry, il écrivit à Gide en prétendant l'avoir détruit :

> « Le grand ami Hubert »
> N'a pas brûlé *Paludes*.
> C'est en ceci au moins
> Que je diffère de lui.

C'est un homme d'action. Il monte à cheval, s'occupe d'œuvres de charité, dirige une compagnie d'assurances contre la grêle et chasse le dimanche. Richard possède quelques traits empruntés à Albert Demarest, le cousin de Gide ; et Tancrède, l'auteur du vers « Les capitaines vainqueurs ont une odeur forte ! » est Léon-Paul Fargue.

Après des échanges peu satisfaisants avec chacun des personnages, l'auteur visite le Jardin des Plantes à la recherche de renseignements sur le petit potamogéton. Ce jour-là, il trouve huit épithètes nouvelles pour le mot *blastoderme*. Il assiste à une soirée littéraire chez Angèle au cours de laquelle ses amis l'assaillent de critiques sur le livre qu'il n'a pas encore écrit, et il décide qu'Angèle et lui entreprendront un voyage qui marquera une vie nouvelle, la fin de la monotonie. Cette nuit-là, il a d'horribles cauchemars dans lesquels les invités le poursuivent le long d'interminables couloirs. Il se réveille à huit heures, biffe sur son agenda[1] la phrase : « Tâcher de se lever à six heures » et écrit en dessous : « Se lever à onze heures », et se rendort jusqu'à midi. La veille de leur départ, il dîne chez Angèle et l'envoie au lit après lui avoir

---

1. Allusion ironique aux listes de bonnes résolutions dont est plein, à cette époque, le journal de Gide.

raconté une invraisemblable histoire de chasse au
canard, dans laquelle son fusil à air comprimé produit
exactement « le son de « Palmes » dans un vers de
M. Mallarmé ». Hélas ! leur voyage est un échec. Il
pleut, et comme ils ont malencontreusement choisi un
samedi, ils doivent être de retour à temps pour assister
à l'office religieux du lendemain. Puis, dans un brusque
coup de théâtre, Hubert part pour Biskra ! L'auteur
lui télégraphie : « Oh ! Hubert ! — et les pauvres ! »,
et reçoit la réponse suivante : « Merde, lettre suit ».
Alors, l'auteur entreprend d'écrire une suite à *Paludes*,
qui s'appellera *Polders*. C'est tout, à l'exception d'une
page presque blanche sur laquelle le lecteur est prié
d'établir une « table des phrases les plus remarquables
de *Paludes* ».

La plupart des pensées de cet auteur fictif, on l'aura
vu, étaient proches de la vérité. Mais s'il diagnostique
si précisément la maladie de ses amis, c'est parce qu'il
en est lui-même incurablement atteint. L'écrivain imaginaire de *Paludes* est un Tityre capable d'être malheureux de son sort, mais qui ne peut cesser d'être un
Tityre. Pourtant, l'œuvre de Gide, le vrai *Paludes*,
possède une verve voltairienne et un style remarquable. Léon Blum, qui s'occupait alors de littérature,
déclara : « Je n'imaginais rien qui fût mieux écrit que
Paludes, et je ne puis ne pas préférer les *Nourritures* ».
En écrivant cette œuvre, Gide, selon une méthode qui
lui était propre, allait se vacciner contre un mal et
retrouver une santé nouvelle.

En janvier 1895, Gide retourna en Algérie. Les deux
mois d'hiver qu'il avait passés à La Brévine, dans le
Jura, dormant la fenêtre ouverte malgré le froid glacial

de la nuit, avaient guéri ses poumons et il rêvait maintenant du printemps d'Afrique du Nord. Dans un moment d'audace, il pria sa mère de l'accompagner avec Madeleine. L'invitation fut refusée, mais sans rudesse cette fois, car l'idée d'une union qui pourrait mettre un terme aux égarements d'André commençait à être envisagée favorablement par la famille. Gide lui-même était convaincu qu'avec de la patience, il obtiendrait inévitablement un consentement.

Un vent glacial venu de l'Atlas soufflait sur Blida. Gide s'apprêtait à repartir, lorsqu'il aperçut sur la liste des voyageurs les noms d'Oscar Wilde et de lord Alfred Douglas. Aussitôt, il effaça son propre nom et sortit, mais, honteux de sa lâcheté, il revint sur ses pas et s'inscrivit de nouveau. Gide put constater que Wilde avait beaucoup changé, comme si un pressentiment l'eût averti qu'un moment crucial de son existence approchait ; il avait abandonné toute réserve. Cette nuit-là, il entraîna Gide à la recherche de jeunes Arabes « beaux comme des statues de bronze » ; ils n'en trouvèrent point. Toutefois, à Alger où Wilde rejoignit Gide quelques jours plus tard, les choses furent mieux organisées. L'amour spirituel de Gide fut, jusqu'à la fin de sa vie, consacré à la chaste image de sa cousine, mais, de ce jour, son corps recherchera toujours sa joie dans les plaisirs auxquels Wilde l'a initié, néophyte consentant, au cours de ces quelques journées passées à Alger. Wilde partit pour l'Angleterre où il allait être insulté par le « terrible marquis » et où il devait connaître la déchéance qu'il parut avoir à demi désirée. « J'ai été aussi loin que possible dans mon sens », confia-t-il à Gide. « Je ne peux pas aller

plus loin. A présent, il faut qu'arrive *quelque chose.* »
Ce serait la geôle de Reading. Gide partit pour Biskra
où, dans l'ardeur de sa joie retrouvée, il commença
d'écrire *Les Nourritures terrestres.* En mars, sa mère,
inquiète, le rappela par des lettres pressantes. Pauvre
femme ! Sa plus grande ambition avait toujours été
d'imposer aux autres ses propres vertus, mais depuis
longtemps elle n'avait plus aucun ascendant sur son
fils. Ils passèrent ensemble une dernière quinzaine à
Paris qui, pour une fois, ne fut troublée par aucune
dispute ; elle tenta seulement, en vain, de le persuader
de changer le titre des *Nourritures terrestres,* dont le
mot « terrestres » lui paraissait sans doute suspect.
Lorsqu'en mai Gide la rejoignit à La Roque, elle était
mourante, et déjà incapable de reconnaître son fils.
Sa mort mit Gide en possession de la fortune qu'il
avait héritée de son père et supprima le dernier obstacle à son mariage, auquel sa mère avait fini par
consentir.

Mᵐᵉ Gide mourut le 31 mai. Le 17 juin, Gide et sa
cousine se fiancèrent. Celle-ci lui écrivit : « Cher André,
ne suis-je pas ton amie, ta sœur, ta fiancée ? *Sœur*
paraîtrait peut-être bien ridicule à d'autres — à mes
yeux il répond très bien aussi à ce que je suis, ce que
je sens ».

Ni le marié, ni la mariée n'étaient faits pour une
union normale. Gide, sans en connaître l'importance,
était désormais conscient de son homosexualité. Quant
à Madeleine, définitivement traumatisée par sa découverte, au début de son adolescence, de l'infidélité de
sa mère, elle n'était pas moins dominée par le souvenir de son père bon et trompé, qu'André par celui de

sa mère autoritaire et sans faille. Aux continuelles demandes en mariage de Gide, Madeleine avait constamment répondu qu'elle redoutait « avec une terreur morale, un éloignement sans cesse croissant » — le mariage — « ce qu'on appelle le bonheur », tout changement dans leur amour spirituel. Il y avait eu entre eux et au sein de la famille des insinuations qui permettaient de penser que ce mariage entre cousins germains ne serait peut-être pas consommé. Ils s'étaient toujours considérés comme frère et sœur, et il est permis de croire qu'aucun des deux conjoints ne désirait qu'il en fût autrement.

Toutefois, avant de se fiancer, Gide alla consulter un éminent neurologue auquel il fit une confession complète de ses penchants. Cet imbécile le rassura en souriant : « Mariez-vous sans crainte. Et vous reconnaîtrez bien vite que tout le reste n'existe que dans votre imagination. Vous me faites l'effet d'un affamé qui, jusqu'à présent, cherchait à se nourrir de cornichons »[1]. Gide lui demanda également si les enfants d'un mariage entre cousins germains pouvaient être anormaux et reçut une réponse tout aussi rassurante. Cette affirmation était peut-être aussi trompeuse que la première, mais elle ne fut jamais vérifiée.

---

1. Quarante-cinq ans plus tard, Gide écrivit : « Je cite exactement ses paroles ; parbleu, je m'en souviens assez. »

CHAPITRE III

LE MARIAGE

LES NOURRITURES TERRESTRES, EL HADJ, SAÜL,
LE PROMÉTHÉE MAL ENCHAÎNÉ, LE RETOUR

> « Nul ne se promène impunément
> sous les palmes. »
>
> Lessing, cité par Gide dans « De
> l'influence en littérature », mars 1900.

Le 8 octobre 1895, Gide épousa sa cousine Madeleine
Rondeaux. La bénédiction nuptiale leur fut donnée à
Étretat par le pasteur Roberty qui, trente-deux ans
auparavant, avait uni les parents de Gide. Le témoin
du marié fut son ancien précepteur, le pasteur Élie
Allégret. Le jeune couple partit aussitôt pour une
longue lune de miel. Ils passèrent l'automne à Neuchâtel (Gide écrivit à Francis Jammes : « Je commence
un infatigable repos, près de la plus tranquille des
femmes »), et à Saint-Moritz ; l'hiver à Florence, Rome
et Naples ; et en février, après un passage à Syracuse,
ils arrivèrent à Tunis. Gide, cherchant à concilier ses
enthousiasmes passés avec sa vie conjugale, suivait à
rebours la route de son premier retour d'Afrique.

Il semble que leur mariage ne fut consommé ni alors, ni par la suite. A Rome, sous prétexte de photos académiques, il fit monter de jeunes modèles dans sa chambre. Dans le train, entre Biskra et Alger, il flirta par la fenêtre avec trois écoliers qui occupaient le compartiment voisin. « Tu avais l'air ou d'un criminel ou d'un fou », lui dira peu après Madeleine. Mais, en dépit de ces incidents de mauvais augure (qui, comme l'a prétendu Jean Schlumberger, ne se sont peut-être, en fait, produits que plusieurs années plus tard), cette étrange lune de miel fut le prélude à vingt années durant lesquelles l'intimité morale de leur première jeunesse fut renouvelée, approfondie, prolongée. La femme de Gide avait remplacé sa mère comme pôle de discipline et de vertu spirituelle vers lequel il lui fallait toujours retourner, et sans lequel son autre pôle, de joie, de libération et de perversion, aurait perdu toute signification.

En avril, Eugène Rouart vint les rejoindre avec Francis Jammes, le plus vaniteux et le plus faussement simple des poètes mineurs français. Gide vit Jammes sous les traits d' « un petit être sémillant à la voix claironnante ». Pour sa part, Jammes découvrit un grand jeune homme barbu aux cheveux longs, vêtu d'une cape, portant une lavallière, et qui avait « les yeux sereins d'un huguenot plus que moderne ». Mais, à la stupéfaction de Gide, Jammes le prit bientôt à part et lui dit en parlant de Rouart : « Nous devrons beaucoup surveiller nos paroles et ne rien dire devant lui de trop subtil ». Au cours de la quinzaine qui suivit, Jammes piqua une crise de jalousie en constatant que l'on considérait l'intelligence de Rouart comme l'égale de la sienne. En revanche, il fut séduit par Athman [1] à qui il apprit à composer des poèmes. Athman n'appréciait pas *La Tentative amoureuse* de Gide : « Vous employez trop souvent le mot « herbe » », lui avait-il dit. Et il écrivit à Degas : « Ce qui me plaît, c'est que vous n'aimez pas les Juifs et que vous trouvez comme moi que Poussin est un grand peintre français ».

Au mois de mai, Gide rentra à La Roque et fut aussitôt élu maire de la commune avec une écrasante majorité. « Ceux qui me prétendent insoucieux de la chose publique imaginent mal le zèle civique que j'apportai dans l'exercice de mes très absorbantes fonctions ». Et il ajoutait : « Dieu merci... la France avait réservé à son plus jeune maire une de ses plus minuscules communes ». Il prit sa tâche très au sérieux, unissant les jeunes couples et épouvantant les alcooliques afin de les amener à se réformer. Il s'intéressa à Mulot, homme très digne, qu'il souhaitait nommer garde-chasse, mais celui-ci avait fait de la prison à la suite d'une injuste accusation de faux témoignage, selon ses dires. Gide voulut alors obtenir une révision du procès : « J'étais à l'âge où l'iniquité cause un malaise intolérable (Oh ! je n'ai pas beaucoup vieilli sous ce rapport) » [2]. Beaucoup plus tard, il apprit la vérité : Mulot avait violé une fillette.

Gide passa le reste de l'année à La Roque et à Cuverville (dont son épouse avait hérité à la mort de son père), où il termina *Les Nourritures terrestres*, commencées durant sa convalescence tunisienne en

1. Jeune Arabe que Gide avait déjà pris à son service lors de ses précédents voyages.
2. Dans *Jeunesse*, un court essai autobiographique publié en 1930.

1894, et qui parurent en avril 1897. *Les Nourritures terrestres* relatent l'appréhension de cette vérité pour laquelle, déjà dans *Paludes,* il avait fait table rase de tous les obstacles qui l'en séparaient. « Mes *Nourritures terrestres* sont le fruit de ma tuberculose... ce fut l'époque de mes grandes ferveurs. » Aussi, comme il convient au livre de « celui qui embrasse la vie comme quelque chose qu'il a failli perdre », les *Nourritures* sont un hymne à la joie de vivre, ou plutôt à la vie dans laquelle tout est joie ; aux plaisirs des sens, ou plutôt à cet état dans lequel tout est un plaisir pour les sens.

Le livre s'adresse à Nathanaël, qu'on a déjà brièvement rencontré parmi les compagnons d'Urien. A l'encontre de « mon grand ami Hubert », Nathanaël n'a pas de modèle dans la vie réelle de Gide. A celui qu'il affirme n'avoir pas encore rencontré, à celui qui le lira un jour, l'auteur donne le nom de Nathanaël, « ignorant le tien à venir ». Le livre de Gide est une flèche dont Nathanaël est la cible. C'est le lecteur idéal ; c'est vous, c'est moi. Gide connaît déjà la liberté ; aussi l'objectif de son livre est-il de libérer Nathanaël, sans pour autant faire de lui un disciple : « Oublie-moi. Que mon livre t'enseigne à t'intéresser plus à toi qu'à lui-même, — puis à tout le reste plus qu'à toi ». Et ce sentiment d'insatisfaction, que *Paludes* n'était pas parvenu à susciter, est pris pour acquis chez Nathanaël. « Nathanaël, je t'enseignerai la ferveur. »

Le second personnage important du livre est moins imaginaire. Au cours de ses voyages, l'auteur arrive à la villa de Ménalque, qui domine Florence comme la proue d'un immense navire. La rumeur nocturne de la

ville est pareille au lointain murmure de la mer, tandis
que Ménalque raconte sa vie devant une assemblée où
l'on reconnaît, naturellement, Ydier, Angaire et d'autres
amis d'Urien et, chose surprenante, plusieurs femmes,
Cléodalise, Simiane, d'autres encore ; et aussi, chose
impossible, Nathanaël en personne. Ménalque est
Wilde, que Gide, nous l'avons vu, rencontra sur cette
même colline de Florence en 1894 ; Ménalque est également le Des Esseintes de Huysmans. Mais Ménalque
représente aussi, tout comme Walter, Urien, Tityre (il
y en aurait beaucoup d'autres), un aspect exagéré de la
personnalité de Gide, un double qui, allant trop loin
dans le sens du livre, laissait le vrai Gide libre. C'est
à Ménalque que l'auteur confie le soin d'exprimer sa
doctrine : « Je haïssais les foyers, les familles, tous lieux
où l'homme pense trouver un repos... Chaque nouveauté
doit nous trouver toujours tout entiers disponibles...
Familles, je vous hais ! » Ménalque a vendu tous ses
biens ; un apôtre n'aurait pu faire mieux. Mais avec
cet argent, il a acheté la spacieuse villa où il accueille
ses amis et sa seule liberté sera d'acheter une autre
villa quelque part ailleurs. Si ce n'est là une démons-
tration par l'absurde, c'est, en tout cas, un exemple
limitatif de la philosophie de ce livre. Et lorsque
l'aube paraît, l'auteur, plus réellement « disponible »
que Ménalque, reprend sa route.

Tous les lieux visités par Gide lors de ses deux
voyages précédents, mais principalement la Tunisie,
alimentent *Les Nourritures terrestres* de joies
sensuelles. La joie sensuelle ! le mot même est honni
par tous les puritains. La morale puritaine abhorre la
chair, la religion puritaine se méfie du mysticisme que

ce mot contient, et la société y voit un danger pour ses
bases que sont la famille et le labeur quotidien. Et,
plus grave encore, cette joie ne serait-elle pas pour Gide,
comme certains l'ont prétendu, un camouflage du
plaisir sexuel et, en fait, de la déviation sexuelle ? S'il
en est ainsi, il faut en chercher la preuve ailleurs, car
le texte proprement dit des *Nourritures terrestres* ne
permet pas cette interprétation. S'il n'est pas douteux
que l'un des éléments de la libération véhémente de
Gide fut la découverte du plaisir sexuel, un autre
élément également important fut sa découverte du
voyage. L'amour charnel est un puissant symbole de la
liberté du corps et de l'esprit, mais la possibilité d'errer
à l'aventure aussi. Le prisonnier dans sa cellule a soif
d'amour, mais il désire aussi pouvoir se promener en
liberté. Les joies de l'amour n'apparaissent, du moins
en apparence, que timidement et rarement dans les
Nourritures.

Si nous nous attachons aux plaisirs prônés par Gide,
nous sommes surtout frappés par leur innocence. Ils
vont, depuis l'odorat, l'ouïe, le toucher et la vue, jusqu'à leur sommet qui est le goût ; depuis le goût des
fruits, des grains de blé et autres aliments végétariens,
jusqu'à la satisfaction de la soif, dont la plus grande
est obtenue par l'eau claire !

> Les plus grandes joies de mes sens
> Ç'ont été des soifs étanchées...

Et sa ferveur est poussée au plus haut point par les
joies mystiques de l'abstinence et de la frugalité :
« Aucun vin ne me donnait cet étourdissement du
jeûne ». — « Être me devenait énormément volup-
tueux. » L'hédonisme de Gide évolue vers un ascétisme.

Dans la liste des innombrables plaisirs, aucun n'est donné en tant que tel et dans son sens charnel : tous sont des moyens en vue d'une libération spirituelle. « La matière est infiniment poreuse à l'esprit. »

Les Nourritures terrestres tentent de rendre la joie spirituelle moins stérile, moins mortifiante, en l'unissant au corps, en prenant le corps comme un moyen de l'atteindre. De cette manière, puisque les besoins du corps sont infinis, on peut espérer que la joie spirituelle sera elle aussi inépuisable. Cette conception de la conquête de l'esprit ressemble beaucoup au « dérèglement raisonné de tous les sens » de Rimbaud, mais, en réalité, c'est plutôt une « attention raisonnée » des sens que Gide propose. Il a relu Rimbaud en août 1894, à Coire. « *Les Illuminations* ont été mon viatique... durant les mois de convalescence les plus importants de ma vie. » L'ardeur qui paraît dans les *Nourritures* est celle des *Illuminations*, la route suivie est celle du *Bateau ivre* : une fuite loin des entraves, un joyeux voyage en haute mer, une suite de visions hallucinantes, et en même temps une capitulation partielle, la reconnaissance de la brièveté de la joie, de l'importance d'autrui. Gide termine son livre à Paris en regrettant le désert : « Angoisses de la pensée... autrui — importance de sa vie ; lui parler ». Cette plénitude de la joie, dont les *Nourritures* montrent le chemin, n'a pas conduit à l'exaltation du Moi, mais à sa dépersonnalisation. « As-tu remarqué que dans ce livre il n'y avait *personne ?* Et même moi, je n'y suis rien que Vision. »

Dans son état final, tout de simplicité et de dépouillement, Nathanaël cessera de s'intéresser à lui-même. Dès lors, il lui sera possible d'aller plus avant, car ses

désirs ne le lieront plus ; il pourra « aimer son prochain » d'une manière tout à fait désintéressée ; enfin,
il sera très près de Dieu ; car Dieu nous attend au-delà
de nos désirs et pour le rejoindre nous devons affronter
ces désirs et les surmonter. « Comprends qu'à chaque
instant du jour tu peux posséder Dieu dans sa totalité. »
Mais tout cela est pour plus tard et ne se produira
que lorsque Nathanaël aura obéi à l'injonction de Gide
et « jeté ce livre ». Le salut est toujours à venir. Gide
ne nous a pas montré ce que nous devons faire pour
être sauvés, mais ce que nous devons faire avant d'être
sauvés. Dans l'hymne qui sert de conclusion, il cède la
parole à sa femme. Celle-ci montre les étoiles qui,
chacune par un libre choix, suivent toutes la route
tracée par une loi inaltérable, et elle déclare : « Nous
ne pouvons pas nous sauver ».

En dix ans, on ne vendit que cinq cents exemplaires
des *Nourritures terrestres*. Dans les bureaux du
Mercure de France, la plaisanterie classique était de
lancer aux visiteurs : « Vous ne voulez pas emporter
quelques *Nourritures* ? Il y en a là qui se perdent ».
Ce ne fut qu'en 1920 que Nathanaël se mit à lire l'ouvrage de Gide. *Les Nourritures terrestres* consom-
mèrent la rupture avec Pierre Louÿs, qui qualifia l'innocente « Ronde de la grenade » d' « obus de fange
et de fornication ». En 1897, Louÿs écrivit dans une
satire obscène et mordante comment, Wilde et Montesquiou (le futur Charlus de Proust) étant présents :

> Tous regardent entrer un homme à l'âme vile,
> Gide, sieur de La Roque et de Cucuverville,
> Dont les cheveux sont longs comme un jour sans putain,
> Et qui tient dans ses doigts l'étoile du matin.

« Chacune de tes pensées portait en elle sa réfutation », écrivit Jammes à Gide, exprimant inconsciemment l'un des éléments essentiels de la philosophie morale et esthétique de Gide. Durant les dix années suivantes, jusqu'à *La Porte étroite*, les œuvres de Gide allaient expérimenter l'enseignement contenu dans les *Nourritures*, en montrer les dangers, examiner les arguments qu'on pouvait lui opposer et développer le sens du fameux : « Jette mon livre ». Il n'existe peut-être pas de meilleure preuve de la sincérité de cette doctrine que la violence et la constance de son besoin de la réfuter. Dans *El Hadj*, écrit en même temps [1] que les *Nourritures*, Gide raconta l'histoire d'un prince invisible [2], qui conduit son peuple à travers le désert de la foi jusqu'aux rives brûlées de sel de l'Éternité, et d'un poète qui ramène ce peuple dans sa cité terrestre et qui, parce qu'il est acclamé comme prophète, reconnaît qu'il ne l'est pas. Ainsi donc, à un moment, Gide considéra ses appels à la joie comme une fuite et lui-même comme un faux prophète. Toutefois il allait découvrir que c'était la moindre des attaques qu'il pouvait lancer contre ses propres enseignements.

Lors de la parution de son livre en avril 1897, Gide, selon son habitude, quitta Paris. Il visita de nouveau l'Italie (« Ménalque a déployé devant lui l'Italie », écrivit-il à Jammes) et inquiet pour la santé de sa femme, souffrante depuis leur voyage de noces, il gagna la Suisse avec elle afin qu'elle pût y prendre des bains sulfureux. L'été, il revint à La Roque où il écrivit *Saül*

1. Août 1896.
2. Le prince est le Christ et le poète Gide qui, un temps, se juge avec ironie et mépris.

et, en octobre, *Le Prométhée mal enchaîné*. Dans une lettre à Jammes, il déclara : « Je suis dans l'admiration, l'adoration, la vénération de Madeleine ; sa douceur est incomparable : elle, si faible, trouve le moyen de protéger ». Au début du printemps de 1898, il fit un nouveau voyage en Algérie, entrepris cette fois encore pour la santé de sa femme. En revenant par l'Italie, Gide termina *Le Prométhée* et à Arco, au Tyrol, il mit le point final à *Saül*.

La voie indiquée par les *Nourritures* avait mené à Dieu, mais en empruntant une vallée périlleuse où les démons guettaient le flâneur sensuel. Ce fut dans « une crise affreuse de pessimisme, d'orgueil blessé, de mépris »[1] que Gide écrivit, « en manière d'antidote ou de contrepoids aux *Nourritures* »[2], « le terrible drame du roi Saül »[3] qui est « l'exposé de cette ruine de l'âme, de cette déchéance et évanouissement de la personnalité qu'entraîne la non-résistance aux blandices ».[4] Saül, parce qu'il voulait être le seul prophète d'Israël, a supprimé tous ses rivaux et a déchaîné contre lui tous les démons qui les habitaient. Ces démons deviennent ses propres désirs. L'un prend sa couronne, les autres son manteau de pourpre, sa coupe, son trône ; le roi s'effrite. « Ma valeur est dans ma complication », déclare-t-il piteusement. Ses tentations sont les joies innocentes en apparence des *Nourritures* : « Le moindre bruit, le moindre parfum me réclame ; mes sens sont ouverts au dehors, et rien de

1. Lettre à Raymond Bonheur, 8 septembre 1898.
2. Lettre au pasteur Ferrari, 15 mars 1928.
3. Lettre à Francis Jammes, juillet 1897.
4. Lettre au Père Poncel, 27 novembre 1928.

doux ne passe inaperçu de moi ». Et c'est avec une
cruelle ironie que ses démons lui offrent l'approche
de l'aube, l'herbe humide de rosée, les baignades, un
sorbet à l'anis : plaisirs déjà mentionnés dans les
Nourritures, où ils paraissent si purs, et qui sont là si
perfides. « Tout ce qui t'est charmant t'est hostile »,
lui dit la sorcière d'Endor ; et dans sa démence dernière, semblable au roi Lear, il avoue en parlant de
ses désirs-démons : « Je suis complètement supprimé ».

Le plus douloureux secret de Saül est qu'il éprouve
pour David, le charmant ennemi qui lui ravira son
trône, un amour qui n'ose pas dire son nom. Saül
tue son épouse lorsqu'elle est sur le point de le
découvrir. David aussi s'en rend compte et c'est le
commencement de la folie de Saül et la fin de la
loyauté de David. Toutefois, ce n'est pas tant le désir
du roi qui répugne à David que son propre consentement inavoué. Devant le cadavre du roi, il murmure :
« Je ne te détestais pas, roi Saül ». David et Saül ont
tous deux quelque chose de Gide. Saül, c'est Gide-
Ménalque dépravé par une vie au service de ses désirs ;
David, c'est Gide-Walter, un jeune homme sérieux que
ses parents appellent d'un diminutif affectueux que
personne d'autre, hormis Jonathan, n'a le droit d'utiliser. Physiquement, David ressemble à ces bronzes
de Donatello et de Verrochio, contemplés au cours du
voyage de noces à Florence ; et comme Athman[1], il
est berger et musicien. C'est la première apparition
dans l'œuvre de Gide d'un nouvel idéal, celui d'un

1. Athman avait raconté à Gide les légendes arabes de David,
qu'il appelait Daoud, surnom utilisé par Gide. Voir *Feuillets de
route*, 7 avril 1896, dans *Amyntas*.

jeune adolescent libre, dangereux dans l'action mais innocent parce que sans remords ; il prendra son visage idéal dans le Lafcadio des *Caves du Vatican* et dans le Bernard des *Faux-Monnayeurs.*

On pourrait presque, et Gide a dû le sentir, pardonner un destin funeste dont David serait la cause ; et peut-être que si David avait été plus libre... car David déclare n'être que l'instrument du Seigneur. Le châtiment de Saül est trop cruel pour n'être que la conséquence naturelle de ses actes et laisse supposer une intervention rigoureuse du Ciel — *quem Deus vult perdere, prius dementat.* Saül est un grand homme qui, en ne résistant pas à la tentation, ne fait que suivre les préceptes des *Nourritures terrestres.* Que serait-il advenu si, selon la formule en vigueur dans l'armée anglaise, « il avait refusé sa punition » ? Il y a dans la Bible une interprétation morale à laquelle le côté protestant de Gide souscrivait trop facilement. Dorénavant, lorsqu'il aura besoin d'un sujet mythologique, il ne se tournera plus vers les Hébreux, mais vers les Grecs. Avant même d'avoir terminé *Saül*, l'antidote des *Nourritures*, Gide avait écrit *Le Prométhée mal enchaîné*, qui est un antidote de *Saül.*

Dans la mythologie grecque, l'image exemplaire d'un grand homme injustement châtié par le Ciel est donnée par Prométhée, que Zeus a enchaîné au Caucase et à qui, chaque jour, il envoie un aigle qui lui mange le foie, parce qu'il a voulu rendre les hommes libres. Mais le Prométhée de Gide, trouvant que ses chaînes « et autres scrupules » l'ankylosent, se lève et s'en va. Il descend le boulevard qui va de la Madeleine à l'Opéra et s'assoit dans un café où le rejoignent Damoclès et

Coclès, tous deux en proie à une grande agitation. Damoclès a reçu dans une enveloppe écrite par une main anonyme (dont les seules caractéristiques, lui ont dit les graphologues consultés, sont la bonté et la faiblesse), un billet de cinq cents francs. Comment retrouver son bienfaiteur ? Coclès, pour sa part, a restitué un mouchoir tombé par terre à un gros monsieur qui, après l'avoir prié d'écrire une adresse quelconque sur une enveloppe, l'a giflé violemment. Sur l'enveloppe reçue par Damoclès, Coclès reconnaît sa propre écriture ; il lève la main pour gifler le responsable de ses malheurs, mais il en est empêché par le garçon. Il est temps de changer de sujet. Prométhée, s'informe-t-il, possède assurément, lui aussi, un signe distinctif, n'est-il pas vrai ? Celui-ci avoue avec confusion qu'il a un aigle. On lui demande alors de le montrer. Il appelle l'oiseau qui accourt vers le café, brise la devanture, crève l'œil de Coclès et se met incontinent à manger le foie de Prométhée.

Coclès est ravi de son nouvel œil de verre. Damoclès tombe malade à force de s'inquiéter de l'usage qu'il pourrait faire des cinq cents francs. Prométhée nourrit son aigle jusqu'à ce que celui-ci devienne beau. Il convie alors le public à une conférence dont le sujet est : les aigles. Autrefois Prométhée aimait ses semblables, mais maintenant il n'aime plus que ce qui les dévore — leurs aigles. Un aigle, c'est l'individualité de chacun, la vertu ou le vice, le devoir ou la passion qui le rend différent des autres hommes, sa raison d'être. L'aigle de Coclès, c'est sa gifle ; celui de Damoclès, ses cinq cents francs. Un aigle affamé n'est qu'une conscience ; chacun doit nourrir son aigle ; sa récompense sera de le voir devenir beau.

Prométhée et le garçon rendent visite à « Zeus le Miglionnaire », le distributeur de gifles et de billets de banque, et le supplient d'aller voir Damoclès qui se meurt d'ignorer à qui il doit sa bonne fortune, et Coclès ses malheurs. Zeus refuse : « Je ne veux pas perdre mon prestige », dit-il. Prométhée demande à voir l'aigle de Zeus ; celui-ci lui répond en riant : « Je n'ai pas d'aigle, Monsieur, les aigles, c'est moi qui les donne ». « On dit que vous êtes le Bon Dieu », dit à son tour le garçon et Zeus ne le dément pas.

Dans le plaisant discours que prononce Prométhée sur la tombe de Damoclès, nous retrouvons d'anciens amis. Tityre (Gide) vit au milieu des marais (La Roque) jusqu'à ce que Ménalque (Wilde) passe par là et fasse germer une idée dans l'esprit de Tityre et un gland dans ses marais. Autour du grand chêne naît une vaste agglomération dont Tityre (tout comme Gide à La Roque) est fait maire. Sa joie se transforme en devoir. Angèle le persuade de partir et s'en va à son tour ; alors Tityre se retrouve de nouveau seul entouré de marais.

Il ne reste plus à Prométhée qu'à inviter Coclès à dîner dans leur ancien restaurant, dîner au cours duquel on leur sert l'aigle de Prométhée, qui est trouvé délicieux ! Son propriétaire explique : « Il me mangeait depuis assez longtemps ; j'ai trouvé que c'était à mon tour ». « De sa beauté d'hier, que reste-t-il ? » soupire Coclès. « J'en ai gardé toutes les plumes », répond Prométhée. Et Gide ajoute en confidence : « C'est avec l'une d'elles que j'écris ce petit livre ».

Tout comme *Paludes*, *Prométhée* fut écrit au cours d'un automne qui suivit un séjour d'été à Paris. Dans la capitale, Gide se vit environné de rivaux littéraires qui lui étaient inférieurs. Il n'était pas prêt à payer le prix qu'ils lui demandaient pour obtenir leur admiration : qu'en retour il admire leurs œuvres. Gide ne devait se sentir à l'aise dans les milieux littéraires parisiens qu'une dizaine d'années plus tard, lorsqu'une nouvelle génération de jeunes disciples apparut autour de lui. L'esprit satirique dont il fait montre dans *Paludes* et dans *Le Prométhée* est d'une gaieté brillante qui résulte d'une exaspération en partie surmontée, en partie tournée contre lui-même. Toutefois, le sens de *Prométhée* est plus grave que son genre littéraire ; c'est une réhabilitation et un prolongement des *Nourritures* : la recherche de la valeur individuelle, stigmatisée dans *Saül*, redevient obligatoire. En ce sens la vertu et le vice, la passion et le devoir sont égaux ; et lorsque la recherche est terminée, son résultat peut être abandonné ou utilisé ; nous pouvons manger notre aigle. Et le dieu jaloux de *Saül* est remis à sa place, car Jehovah est également Zeus, l'auteur irresponsable des maux immérités et des aubaines financières, et ici, en tout cas, il est subordonné au héros qui est un homme joyeux.

L'image du héros, mais de nouveau associée au renoncement et au dénuement, réapparaît dans *Philoctète*, commencé en 1894 en même temps que *Paludes* et *Les Nourritures*, et achevé à La Roque à l'automne de 1898. *Philoctète* est écrit sous forme de pièce, mais Gide précise qu'elle n'est pas destinée à la scène et son sous-titre : « Traité des trois morales » la classe parmi ses autres traités. Ulysse et Néoptolème sont venus dans l'île de Philoctète, encerclée par les glaces, afin de lui voler son arc qui, seul, peut permettre aux Grecs de remporter la victoire à Troie. Dans la morale nationaliste sans scrupules d'Ulysse, il y a une allusion évidente à l'affaire Dreyfus, qui battait son plein alors. Gide était naturellement un dreyfusard ardent [1]. Néoptolème remplace ici l'innocent et dangereux David. Philoctète, obéissant à un dévouement pour quelque chose de plus grand que les dieux ou le patriotisme (« Se dévouer à quoi ? » lui demande Néoptolème et il balbutie : « A soi-même ») cède l'arc, son dernier bien, et est récompensé par la joie sans mélange d'un dénuement total.

Deux autres œuvres, toutes deux commencées à La Roque en juillet 1899, complètent le cycle de la production dramatique de Gide. *Le Retour* est un charmant livret en vers destiné à un opéra que projetait Raymond Bonheur. Horace est un époux qui, après trois années heureuses de travail dans un pays tropical, revient auprès de sa femme qu'il connaît depuis l'enfance. « Je ne croyais pas le salon si petit ! », s'exclame-t-il et sa femme lui dit : « Quand nous étions enfants, le soir, il paraissait énorme ». Lucile, la jeune sœur de Marthe, est évidemment amoureuse d'Horace, tout comme Valentine Rondeaux, la sœur de Madeleine, fut un temps amoureuse de Gide. Gide n'écrivit que le premier acte de son livret ; sans doute s'aperçut-il que l'intrigue empiétait prématurément non seulement sur sa vie privée, mais sur les thèmes de ses futurs romans, *L'Immoraliste* et *La Porte étroite*.

---

1. Dans son autobiographie, Francis Jammes mentionne que, lors de son passage à La Roque en septembre 1898, on y discutait passionnément l'affaire Dreyfus, tous les matins, de dix heures à midi.

Dans *Le Roi Candaule,* sa dernière pièce avant
Œdipe, de 1931, Gide s'inspire de la légende d'Hérodote
sur le roi de Lydie qui, fier à l'excès de la beauté de
son épouse, la montre nue à Gygès, son sujet. Gygès
assassine alors son maître et monte sur le trône. Gide
fait de Candaule un cas particulier de la philosophie
des *Nourritures* — un homme incapable de percevoir
toute l'étendue de son bonheur à moins de le partager
avec d'autres. Du moins, c'est ce qu'il prétend dans sa
préface, mais il ne peut pas avoir été inconscient du
fait que partager sa femme avec quelqu'un, quelles
qu'en soient les implications métaphysiques, est aussi
une forme bien connue de perversion sexuelle. Plus
tard [1] il fut heureux de découvrir qu'il avait été
devancé en ce domaine par Dostoïevski (l'abandon par
Muichkine de Nastasia à Rogojine dans *L'Idiot*), mais
plus tard encore [2] il déclara que *Candaule* était « le
moins important de mes écrits ». C'est certainement
le moins personnel, sauf dans la mesure où il est un
rabâchage de *Saül.* De toute façon il était loin de
mériter l'accueil qu'on lui réserva. Gide eut l'idée plaisante, « afin d'aider le lecteur à se faire une opinion,
si tant est qu'il y tienne », de faire précéder la seconde
édition du *Roi Candaule* (1904) d'un recueil de critiques parues dans la presse. La suffisance inculte de ces
textes est absolument stupéfiante et rien, à notre
époque caractérisée par l'abondance de critiques
savants et par l'absence de littérature, ne peut mieux
expliquer l'audience restreinte que rencontra Gide
durant ses vingt premières années d'écrivain. « Je n'y

1. *Journal,* 2 décembre 1905.
2. Lettre à Maurras dans le *Journal,* 20 octobre 1916.

entends rien », décrètent *Le Figaro* et onze autres journaux. « La pièce m'a semblé subtile », se plaint *La
Semaine française*, tandis que Gaston Leroux, auteur
de romans policiers, considère qu' « à ce degré de simplicité un chef-d'œuvre n'est qu'intentionnel ». Toutefois, le célèbre Faguet, dans le *Journal des Débats*,
rendit à l'auteur cet hommage : « La pièce de M. André
Gide n'est pas maladroitement faite et elle est d'un
certain agrément de style ».

CHAPITRE IV

INQUIÉTUDE, INFLUENCE ET CONTRAINTE

L'IMMORALISTE, IN MEMORIAM : OSCAR WILDE, PRÉTEXTES, AMYNTAS

> « Dans l'automne de Normandie,
> je rêve au printemps du désert. »
> *Amyntas.*

On aurait pu penser que les possibilités des *Nourritures terrestres* avaient toutes été analysées et épuisées ; pourtant, il en restait une, la plus importante. Dans le poème en prose, le théâtre, la satire, Gide n'avait cessé de s'intéresser aux problèmes de la réalisation de l'être ; il lui restait à montrer ces problèmes, non plus seulement en théorie, mais dans la pratique, dans leur beauté et leur teneur véritables, tels qu'ils apparaissent dans la vie réelle et tels que Gide les avait affrontés au cours des sept années écoulées. Est-il vraiment possible de vivre selon les préceptes des *Nourritures* et quelles sont les conséquences d'une telle tentative sur un individu, ses proches, et en particulier sur sa femme ? Pour répondre à cette interrogation, il fallait un roman et Gide écrivit *L'Immoraliste* [1].

1. D'abord conçu à Biskra en 1894, puis envisagé comme une « Vie de Ménalque », il fut probablement commencé en octobre 1901, terminé le 25 octobre 1901 et publié en mai 1902.

Pour faire plaisir à son père mourant, Michel, un jeune intellectuel puritain, épouse Marceline qui est comme lui pure et orpheline. Son acceptation d'un mariage sans amour est bientôt puni ; dès qu'ils arrivent en Afrique du Nord, au cours de leur voyage de noces, Michel tombe gravement malade, a une hémorragie et il se résigne à l'idée de mourir. Marceline le soigne avec dévouement, mais malhabilement, et une seconde hémorragie interrompt sa convalescence alors qu'il commençait à prendre conscience de la beauté d'une vie qu'il risque de perdre. « Vivre, je veux vivre », s'écrie-t-il, et de ce moment il prend en main sa guérison. C'est le premier d'une série d'actes de volonté. La santé, décide-t-il, est un bien précieux et tout ce qui n'apporte pas la santé est mauvais.

Michel renaît à la vie, cette fois grâce à ses propres efforts. Le couple est à Biskra et le printemps arrive. Il s'aventure dans le jardin public puis, à mesure que ses forces reviennent, il explore tout l'oasis. Marceline lui fait connaître quelques enfants arabes et Michel en rencontre d'autres. Sa femme préfère ceux qui sont gentils et chétifs ; Michel s'intéresse aux autres, et surtout à l'un d'eux qu'il a surpris volant les ciseaux de sa femme. Ce petit méfait emplit Michel de joie, sans doute parce que lui aussi a, en quelque sorte, volé Marceline. Toutefois la scène contient un symbolisme encore plus freudien.

Ils reviennent en passant par Syracuse et l'Italie. Sur la route de Sorrente, Michel se bat avec un cocher ivre [1] et cette nuit-là, pour la première fois, il consomme

1. Gide eut une expérience similaire avec un cheval emballé et un cocher ivre, alors qu'il était seul en Bretagne, en 1889.

son mariage. Il ressent de l'amour pour Marceline, mais plus encore de la pitié ; il se rend compte qu'il est plus fort qu'elle. Tous deux connaissent alors une brève période de calme et de joie et à La Morinière, la propriété normande de Michel, Marceline découvre qu'elle est enceinte. Michel s'intéresse aux travaux de la ferme, à l'équitation et à Charles, le fils de son garde.

Le couple passe l'hiver à Paris où Michel est dégoûté par le manque d'originalité des gens qu'il rencontre. « Mais vous ne pouvez demander à chacun de différer de tous les autres », lui dit Marceline. En la personne de Ménalque, Michel fait la connaissance de quelqu'un qui, précisément, exige cela. Ménalque est allé à Biskra et il remet à Michel les ciseaux volés, ce qui lui prouve que Michel, du moins, diffère des autres, car le petit Moktir a tout raconté à Ménalque. Michel délaisse Marceline malade afin d'avoir une ultime conversation avec Ménalque, la veille de son départ de Paris. « Il faut choisir », lui dit Ménalque, « l'important, c'est de savoir ce que l'on veut », et il conseille à Michel de conserver son « bonheur calme ». Le lendemain matin, lorsque Michel rentre chez lui, il apprend que sa femme a fait une fausse couche et qu'elle se trouve dans un état grave. C'est au tour de Michel de la soigner.

Marceline semble se rétablir et ils retournent à La Morinière ; là, Michel se préoccupe davantage de ses ouvriers agricoles que de sa ferme. Déçu par Charles, qui est devenu un monsieur portant des favoris, il se mêle à la bande de mauvais garçons du village qui braconnent sur ses terres. Charles découvre la chose et Michel, confus et ennuyé, annonce qu'il vend La

Morinière. Il déclare à Marceline : « Partons d'ici.
Ailleurs je t'aimerai comme je t'aimais à Sorrente ».

Ce second voyage de noces leur fait suivre en sens
inverse l'itinéraire du premier. Michel se persuade que
Marceline a besoin de la chaleur du Sud, mais en
réalité ce qu'il veut retrouver, c'est l'impression de
renaître qu'il avait éprouvée en Tunisie. « Ce qu'elle
appelait le bonheur, c'est ce que j'appelais le repos,
et moi je ne voulais ni ne pouvais me reposer. » « Je
comprends bien votre doctrine, lui dit Marceline, elle
est belle peut-être... mais elle supprime les faibles. [1] »
Michel entraîne vers le Sud sa femme mourante. Ils
atteignent Touggourt et Marceline meurt de la tuberculose qu'elle a contractée en soignant son mari. Michel
convoque ses amis afin qu'ils écoutent son histoire
et lui viennent en aide. Lui, qui deux ans auparavant
s'était écrié : « Je veux vivre », déclare maintenant :
« Arrachez-moi d'ici à présent, et donnez-moi des
raisons d'être ». « J'ai cherché, j'ai trouvé ce qui fait
ma valeur : une espèce d'entêtement dans le pire »,
avoue-t-il ; mais il est sans remords : « Je ne sens
rien que de noble en moi ».

Dans quelle mesure *L'Immoraliste* est-il l'histoire du
mariage de Gide ? Les rapprochements sont nombreux,
mais trompeurs. L'itinéraire suivi, la maladie, le réta-
blissement et l'initiation au cours d'un premier voyage
de Michel ne sont pas tirés du voyage de noces de
Gide, mais du séjour en Afrique du Nord qu'il fit avec
Paul-Albert Laurens en 1893-94, deux ans avant de se
marier. Le vrai voyage de noces de Gide, en 1895-96,

---

1. C'est à l'opposé de Saül disant de ses désirs-démons : « Ils
m'ont complètement supprimé ».

plus calme et plus heureux, ne ressemble à la course désespérée vers la mort du second voyage de Michel que par la route suivie. Madeleine Gide n'a jamais eu à soigner son mari gravement malade, au contraire, ce fut lui qui l'entoura de soins dévoués. Nous avons déjà mentionné leurs voyages en Suisse, en mai 1897, et en Algérie au printemps de 1898, entrepris l'un et l'autre pour la santé de Madeleine. En août 1898, il y eut d'autres bains sulfureux à Losdorf, et au printemps de 1899 ils durent interrompre précipitamment un autre séjour en Tunisie — « Combien d'heures, de jours, nos volontés exténuées n'ont-elles pas hésité à prolonger encore l'ennui cruel de ce voyage »[1]. En juillet 1900, Madeleine eut les deux bras fracturés dans un accident de voiture et en même temps qu'elle se rétablissait de cette mésaventure, sa santé générale parut s'améliorer. Elle ressemble à Marceline par sa bonté et sa pureté, mais pas par son destin.

Le journal de Gide couvrant les années décisives de 1896 à 1901 n'existe pas[2], mais dans des passages rétrospectifs du journal repris en 1902 et dans la correspondance de Gide, nous pouvons découvrir de nombreux traits propres au personnage de Michel. Le sombre mot « inquiétude » apparaît de plus en plus fréquemment et il prédominera au cours des dix années suivantes. Un temps, Gide souffrit de ses nerfs et, en octobre 1899 et 1900, il se rendit seul à Lamalou, dans le Midi, afin de se soigner. « Je crois que quelque chose va changer dans ma vie », écrivit-il alors à

1. Lettre à Jammes, avril 1899.
2. Nous ignorons s'il fut écrit, s'il fut détruit en 1902 ou plus tard avec les journaux antérieurs à 1890, ou s'il fut supprimé.

Jammes, « je suis comme une pendule qui va sonner » [1].
En 1900 et 1901, il prit l'habitude — tout à fait dans
la manière de Michel — d'aller rôder la nuit sur les
boulevards [2]. Après avoir écrit *L'Immoraliste*, il perdit
partiellement cette habitude. Au cours de l'été de 1900
survint un événement ressemblant à un chapitre de
L'Immoraliste qui aurait été supprimé parce que plus
invraisemblable que la fiction. En 1895, il avait projeté
de ramener Athman à Paris, mais il en avait été
empêché par la réaction de sa mère et de Marie, sa
vieille servante, qui avait juré de quitter la maison le
jour où « son nègre » y entrerait. Mais cette fois son
nouveau complice, Henri Ghéon, ramena le jeune
Arabe d'Afrique du Nord, et Gide fréquenta avec eux
deux le quartier tunisien de l'Exposition Universelle
où Jacque-Émile Blanche les peignit, assis dans un
café indigène reconstitué, en compagnie d'Eugène
Rouart et de Chanvin. Par la suite, Ghéon se plut à
déceler chez Blanche un certain cynisme qui, d'après
lui, datait de ce moment-là ! La Morinière, la propriété
normande de Michel, est évidemment La Roque, la propriété de Gide ; et en 1900 celui-ci, tout comme Michel,
mit en vente la demeure de sa mère. Il y alla encore
quelquefois pour affaires, mais il n'y résida plus jamais.

Une fois de plus, Gide avait écrit une œuvre qui
dépeignait, non pas tant son état d'esprit qu'un danger
auquel il espérait échapper en en faisant la description : « J'y ai sué, pleuré », déclara-t-il à propos de la
rédaction de ce roman. « Je l'ai vécu pendant quatre

---

1. Lettre à Jammes, octobre 1900. Il avait déjà pris des bains à
Lamalou en 1881, après sa crise d'hystérie.
2. *Journal*, 8 janvier 1902 et mai 1905.

ans et je l'écris pour passer outre ». « Sans mon
Immoraliste, je risquais de le devenir[1]. » Dans la réalité, Gide, ou du moins une part fugitive de lui, était
Michel, mais sans les crimes de ce dernier. Il était
capable de rechercher sa joie sans s'anéantir spirituellement et sans tuer sa femme.

L'Immoraliste constitue une mise en garde contre
un individualisme cruel, mais c'en est en même temps
la glorification. La plupart des lecteurs se rendront
compte que Gide ne prend pas suffisamment parti
contre son infâme héros ; il éprouve même à son égard
une complaisance détournée. La souffrance de Michel
à la fin du livre ne suffit pas à contrebalancer le
meurtre virtuel de sa femme et de son enfant et, trop
peu châtié, il lui manque ce pathétique qui sauve
Saül et Candaule, eux trop durement punis. Comme
toujours lorsqu'une œuvre d'art tend à démontrer avec
partialité un problème éthique et le laisse sans solution,
cette lacune morale est ressentie comme une lacune
esthétique.

Si *L'Immoraliste* est indubitablement un chef-
d'œuvre, ce n'est pas à cause de sa portée tragique,
mais grâce à son style merveilleux. Gide ne perdit
jamais son temps à rendre difficile l'agrément de ses
livres. Dans *L'Immoraliste,* son récit atteint une aisance
et un charme, sa prose une perfection limpide que ses
satires avaient jusque-là dissimulés sous le couvert de
l'ironie. Ces qualités, il allait les étendre à l'infini en
nuances et en complexité, mais rarement, peut-être
jamais, les surpasserait-il. Toutefois, les images que
nous retenons le plus de *L'Immoraliste*, mis à part le

1. Lettres à Francis Jammes.

détestable souvenir de Michel, sont celles du bonheur de Gide dans les années 90 : l'idylle durant la convalescence à Biskra, les géorgiques de La Morinière, l'églogue de la conversation de Ménalque. Ces épisodes tirent quelque chose de leur beauté du fait qu'ils sont aussi des élégies : élégie des oasis de Tunisie auxquels la prochaine visite de Gide serait un adieu, élégie des bois et des eaux de La Roque abandonnée aux soins d'un garde, élégie de la voix dorée de Wilde qui s'était tue à jamais. L'adieu de Gide allait les perpétuer.

Wilde était mort en décembre 1900, et Gide avait appris la nouvelle alors qu'il se trouvait à Biskra avec sa femme, trop loin pour se joindre aux quelques personnes qui suivirent le corbillard jusqu'au cimetière de Bagneux [1]. Toutefois, un an plus tard, dès qu'il eut terminé le roman de Ménalque et de son disciple, il écrivit *In Memoriam : Oscar Wilde*. Le scandale, la prison et la mort avaient eu un curieux effet péjoratif sur l'opinion que l'on avait des œuvres de Wilde ; Gide lui-même l'admirait plutôt en tant que force de la nature que comme écrivain [2]. « Pourquoi vos pièces ne sont-elles pas meilleures ? », avait-il demandé sur un ton de reproche à Wilde lorsqu'ils étaient à Alger. « Le meilleur de vous, vous le parlez : pourquoi ne l'écrivez-vous ? » Et Wilde avait répondu : « J'ai mis mon génie dans ma vie ; je n'ai mis que mon talent dans mes œuvres ».

1. Ce n'est qu'en 1909 que l'on transféra sa dépouille au Père-Lachaise, sous le monument d'Epstein.
2. « Certainement, dans mon petit livre sur Wilde, je me suis montré peu juste pour son œuvre et j'en ai fait fi trop à la légère, je veux dire : avant de l'avoir connue suffisamment. » *Journal*, 29 juin 1913.

Pour chaque lecteur anglais de l'essai de Gide, il s'en trouve probablement cent autres auxquels les biographies de Wilde écrites par Boris Brasol et Hesketh Pearson ont appris que R. H. Sherard avait publié un opuscule intitulé « Oscar Wilde deux fois défendu contre les mensonges pervers d'André Gide », et que MM. Brasol et Pearson étaient d'accord avec lui. Sherard, comme tant d'amis de Wilde, était persuadé d'être le seul véritable ami que celui-ci eût jamais eu. Son ouvrage, en dépit de sa sincère indignation et de son style exécrable, ne parvint à démontrer ni l'inexactitude, ni la méchanceté des souvenirs de Gide sur Wilde. Au contraire, le texte de Gide, qu'il qualifiait de « couronne sur une tombe délaissée », est de loin le témoignage le plus convaincant et le plus sympathique que nous ayons sur la conversation et sur la présence de Wilde, sur son génie qu'il consacra non à écrire mais à vivre [1]. Le Wilde de *In Memoriam*, de même que le Ménalque des *Nourritures terrestres* et de *L'Immoraliste*, est un Wilde étrangement grave, dépouillé de son artifice et de ses épigrammes, mais c'est précisément celui que Gide a connu, et qui, sans lui, serait perdu pour nous. Au cours de ses conversations avec Gide, Wilde n'osa, ou ne se soucia que rarement de lancer une épigramme, et lorsqu'il le fit, il fut aussitôt rabroué pour sa frivolité. Wilde réserva ses traits d'esprit pour ceux qu'il voulait amuser ou ennuyer. Auprès de Gide il sentit que son âme était

---

1. L'ami de Wilde, Robert Ross, déclara à Gide que *In Memoriam* était « non seulement le meilleur témoignage sur Wilde aux diverses époques de sa carrière, mais la seule vraie et juste image de lui que j'aie jamais lue. »

jugée ; on peut penser que Gide l'aida à en acquérir une et qu'un peu du *De Profondis* est redevable à Gide, de même que quelque chose des *Nourritures terrestres* est redevable à Wilde.

En 1903, Gide fit reparaître son étude sur Wilde dans *Prétextes* avec des essais et des comptes rendus de *L'Ermitage* et les *Lettres à Angèle* déjà publiées dans la revue *le Mercure de France*. Au printemps de 1898, l'Angèle de *Paludes* avait tenu à paraître dans *Le Prométhée mal enchaîné* et au cours des deux années suivantes, Gide s'était amusé à écrire des lettres mordantes et pleines d'esprit à cette dame qui se piquait de littérature. C'est un personnage étonnamment vivant ; j'ai déjà avancé qu'elle avait pour modèle d'Ellis d'*Urien*[1], mais je ne peux m'empêcher de soupçonner aussi quelque originale perdue parmi les égéries des salons littéraires que Gide avait fréquentés au début des années 90. Lorsqu'une certaine Mme Brandon consterne ses invités en disant à Gide, alors qu'il prend congé : « Les personnes avec qui on a plaisir à causer sont si rares »[2], on croit entendre un lointain écho de l'Angèle de *Paludes*. Dans ces lettres (hormis quelques autres épîtres en 1921) nous voyons apparaître Angèle pour la dernière fois. Dans le même temps, Gide abandonna l'ironie pour dix ans, jusqu'aux *Caves du Vatican*.

1. Écrit en 1950. Dans l'ouvrage posthume *Et nunc manet in te* (1951), Gide dit qu'il dépeint sa femme sous les traits d'Emmanuèle dans *Les Cahiers d'André Walter* et sous les traits d'Ellis dans *Le Voyage d'Urien* et qu' « il n'est pas jusqu'à l'évanescente Angèle de *Paludes* où je ne me sois quelque peu inspiré d'elle ».

2. *Journal*, 26 janvier 1908. Mme Brandon était une amie de sa mère et son salon fut le premier qu'il fréquenta dans sa jeunesse.

Un grand nombre des ouvrages littéraires dont il est question dans *Prétextes* sont à présent tombés dans l'oubli, mais les textes critiques de Gide, supérieurs à leurs victimes, survivent et rappellent le paradoxe d'Oscar Wilde que Gide répétait volontiers : « L'imagination imite ; c'est l'esprit critique qui crée ». Ces essais et comptes rendus ne sont pas des manœuvres dans une guerre civile littéraire, non plus que des mises au pilori de mauvais ouvrages par un habile maître des hautes œuvres. Ce sont bien plutôt, en fait, des « prétextes » au libre jeu de l'esprit de Gide. Le critique du *Temps*, Souday, un amateur de fadaises, plaçait l'œuvre critique de Gide au-dessus de tous ses autres livres ; toutefois, il est probable que s'il en avait saisi la dangereuse originalité, il aurait rejeté cette œuvre critique comme tout le reste. Cependant la pensée sous-jacente des *Prétextes* indique déjà un abandon de la position extrémiste adoptée par Gide dans les années 90. La liberté, le déracinement, l'individualisme sont désormais la prérogative et le fardeau du génie ; pour les faibles et les médiocres, il est préférable de demeurer enracinés là où ils sont : « Je crains les ratés de l'individualisme autant que tous les autres ratés », dit-il à Angèle, « plus les individus sont grands, moins il y en a... Tous individus : plus d'individus. Ah ! pour l'amour de Moi ! pas d'individualisme ! » Et, expliquant à Angèle que dans l'état où il se trouvait réduit, Nietzsche était heureux mais n'arrivait plus à se rappeler son nom, il déclarait : « Au revoir, chère Amie ! — Dieu vous mesure le bonheur ! »

Le texte de la conférence « De l'influence en littérature », qui se trouve au début de *Prétextes*, marque une étape encore plus capitale dans l'évolution de Gide. Paradoxalement, cet individualiste reproche à ses contemporains leur peur de toute influence, leur désir d'être original à tout prix, ce qui indique un manque d'assurance inavoué quant à leur originalité. L'influence, dit-il, n'est pas l'imposition d'une personnalité étrangère, mais un moyen de connaître la sienne propre ; c'est une explication de soi-même. Gide, comme nous l'apprennent d'innombrables passages de son journal, s'est remis à la lecture ; il recherche des influences. Le printemps des *Nourritures* prenait fin ; il ne voyait pas encore quelle serait la prochaine étape, aussi entreprit-il d'explorer et de cultiver ses dons inexploités. Ses relectures de Stendhal en 1902 et 1905, de Dostoïevski en 1903, de Mérimée en 1904 et de Rimbaud et Lautréamont en 1905, n'étaient pas de simples transfusions sanguines. La gaieté, l'orgueil et la finesse de Stendhal, l'analyse du mal et de la rédemption chez Dostoïevski, l'art exquis de conter de Mérimée existaient déjà en puissance chez Gide ; la lecture de ces écrivains, loin de lui nuire, lui apporta une « explication de lui-même ». Il aurait pu demeurer toute sa vie un néo-symboliste nietzschéen ; il allait devenir, mais d'une manière qui lui serait propre, un Stendhal, un Dostoïevski, et finalement un Gœthe.

Les dix années qui suivirent *L'Immoraliste,* jusqu'au commencement des *Caves du Vatican,* en 1911, furent les années les moins productives du début de la maturité de Gide. L'itinéraire parcouru depuis la révélation explosive de Biskra en 1893 avait atteint sa courbe descendante et il était entré dans une période intermédiaire de préparation. Une peau nouvelle se formait sous l'ancienne ou plutôt, comme une chrysalide, il se préparait à une métamorphose. Dans *Amyntas, Le Retour de l'Enfant prodigue, La Porte étroite, Isabelle*, la transition n'est visible qu'en ce que ces œuvres sont un adieu au passé ; on n'y trouve aucun indice de ce qui allait suivre. Consciemment ou non, Gide n'avançait pas ; il se contentait d'épuiser et d'accumuler des possibilités. A certains moments, il était oppressé par un affreux sentiment d'urgence : « Pour être ce que je suis, je n'ai pas un instant à perdre ».

Ses autres « influences » furent d'un caractère plus pratique. Comme il l'avait laissé entendre dans *Les Nourritures terrestres*, il commençait à s'intéresser à « autrui — importance de *sa* vie — il faut lui parler ». En 1905, pour la première de nombreuses fois, il choisit un Nathanaël en la personne de son jeune cousin Paul Gide et l'aida à conquérir sa liberté. Il accueillit une nouvelle génération d'amis, non pas de prétendus mentors comme Pierre Louÿs et Henri de Régnier, ni des interlocuteurs de taille comme Valéry et Claudel (Jammes n'était qu'un interlocuteur moyen), mais des êtres plus jeunes que lui, qui vinrent à lui par amour de ses œuvres. Ghéon, Copeau, Schlumberger, Jaloux, Rivière n'avaient pour l'instant aucun désir de le transformer ; ces jeunes gens lui désobéissaient peut-être en ne « jetant pas son livre », mais ils ne s'en servaient pas pour l'accuser. Et il suivit cette vieille ambition ambivalente qui, déjà lorsqu'il était écolier, l'avait poussé à fonder une revue littéraire, puis à s'en retirer. Avec ses amis, il entra à *L'Ermitage* et, à partir de 1903, il fit partie du comité de direction au côté de Remy de Gourmont. On le surnomma « l'éminence grise » de la revue. *L'Ermitage* cessa de paraître en 1906 et, en 1909, il participa à l'organisation et au rassemblement des fonds nécessaires pour fonder la *Nouvelle Revue Française ;* cependant, là aussi, il demeura à l'arrière-plan et seuls les noms de Copeau, Schlumberger et André Ruyters figurèrent au comité de rédaction. La politique de l'édition, avec ses manœuvres complexes, contribua, de même que le jardinage et les voyages, à faire de Gide un homme doué de sens pratique (rien ne repose mieux des affres de la création que ces activités secondaires) et, chose plus importante, à lui donner le sens de l'action, un sentiment d'appartenance au monde. Il est très probable que le lancement de la *N. R. F.*, en lui donnant l'impression d'être utile même lorsqu'il n'écrivait pas, joua un rôle important dans sa décision de se remettre à écrire.

Mais la principale caractéristique de cette décennie décisive en réaction contre *Les Nourritures terrestres*, années de repli afin de mieux sauter, fut un désir de se ranger. Des raisons à la fois morales et artistiques entraient dans cette volonté d'enracinement ; morales, parce que Gide désirait regagner, grâce à une vie conjugale respectable, le respect de lui-même que Michel avait perdu, et artistiques parce qu'il voulait créer des œuvres plus grandes que celles dont était capable un errant instable et un immoraliste. L'influence de sa femme fut, sur ce plan, considérable, et ne cessa de croître du fait même de son silence. L'abandon de La Roque en 1900 fut un autre pas en ce sens. Il est permis de penser que les raisons qui poussèrent Gide à déserter la maison de sa mère furent à peu près les mêmes que celles qui firent vendre La Morinière à

Michel ; mais il put ainsi mettre fin aux incessantes allées et venues entre Cuverville et La Roque des années 90. Jusqu'à son exil lors de la seconde guerre mondiale, Gide résida la plus grande partie de l'année à Cuverville. Là, tout comme le Candide de Voltaire à l'issue de ses pérégrinations, il cultiva son jardin. Plus encore qu'à l'acclimatation d'arbustes et de fleurs exotiques, Gide prenait plaisir à tailler, greffer, palisser, transplanter. Il faisait de cette manière une étude pratique sur les bienfaits de la contrainte ; dans sa vie créatrice, il se sentait à la fois jardinier et plante. Une tentative d'enracinement moins heureuse fut la construction de son immense et coûteuse maison d'Auteuil, dont les travaux furent entrepris en 1904 et qu'il occupa au mois de février 1906. Gide crut sans doute que son sens de l'épargne l'obligerait à utiliser cette demeure et mettrait un terme à ses déplacements continuels. Il écrivit : « J'attends de cette maison ma force de travail, mon génie. » Mais l'inhabitable villa Montmorency ne fut qu'un simple pied-à-terre, un monument à l'impossibilité de vivre à Paris, « une villa sans maître ».

Gide n'avait rien écrit depuis deux ans lorsqu'en octobre 1903 il retourna en Afrique du Nord pour la sixième fois afin d'y réunir des matériaux pour un livre de voyages. Quel était son objectif en écrivant *Amyntas* ? Certainement pas politique, ni social. « Les plus graves questions économiques, ethnologiques devaient y être soulevées », expliqua-t-il ; « j'emportais des cahiers que je voulais remplir de documents précis, de statistiques... Sont-ce bien ces cahiers que voici ? » En réalité, les questions économiques et les êtres sont presque absents d'*Amyntas*. Athman lui-même, devenu un jeune fat de vingt-cinq ans vêtu avec recherche, n'apparaîtra que rarement dans cet ouvrage (l'année suivante, il se maria et disparut de la vie de Gide). La plupart du temps, Gide se promena seul dans l'automne tunisien et son livre est une tournée des trois attractions symboliques de l'Afrique du Nord : le café, l'oasis, le désert ; le désert, l'oasis et le café. Il parle très peu de lui-même. C'est le pays qui parle par ses curiosités, comme la « petite flûte à quatre trous par quoi l'ennui du désert se raconte... Je voudrais que les phrases que j'écris ici soient pour vous ce qu'était pour moi cette flûte, ce que fut pour moi le désert — de diverse monotonie ».

De diverse monotonie — s'agit-il bien de la même Tunisie qui lui apporta vie et libération en 1893 ? La Tunisie d'*Amyntas* est celle du second voyage de Michel ; la beauté est encore partout, mais l'enchantement s'est évanoui. Souvent Gide cherche à donner des raisons objectives à sa déception, dans les rues nouvellement pavées ou dans les cafés vulgaires. C'est l'automne à présent, avec sa chaleur écrasante à laquelle succède un vent glacial et des ciels gris — ses autres voyages avaient été effectués au printemps. Et pourtant il avait *choisi* de faire ce voyage en automne. Il emporta la saison avec lui — l'automne (bien que provisoirement seulement, car la vie de Gide allait connaître encore de nombreux automnes et de nombreux printemps) est maintenant dans son cœur. « Murmures des jardins, parfums, je reconnais tout, arbres, choses... le seul méconnaissable, c'est moi. » « On comprend mieux peut-être, mais l'étonnement ravissant n'y est plus. » Parfois il en reconnaît la cause :

« L'angoisse n'est qu'en nous », écrit-il à sa femme, « ce pays est au contraire très calme ». Parfois, il retrouve son ravissement : « J'adresse ma dévotion à l'Apollon saharien que je vois, aux cheveux dorés, aux membres noirs, aux yeux de porcelaine. Ce matin ma joie est complète ». Mais en général il ne peut escompter qu'un plaisir triste, comme lorsque dans un café de Biskra il fume un peu de haschisch et trouve « ce bien-être fait non point de satisfaction des désirs, mais d'évanouissement du désir et de renoncement à tout ».

« Obsédé par le désir de ce pays, et souhaitant enfin guérir, *pro remedio animae meae*, je projetai d'écrire un livre sur l'Afrique. » Ce n'est pas toujours facile ; même à présent il découvre encore quelque chose de neuf et s'écrie : « Je ne les avais pas vus l'an passé. — Ah ! vais-je souhaiter revenir ? ». « Parfois et brusquement, telle miette de volupté réveille un arrière-goût si secret que pour m'arracher d'ici je me sens aussitôt sans courage. » Cependant la victoire avait été acquise avant son départ. La magie de la Tunisie s'était éteinte en lui et il avait besoin de la place qu'elle avait tenue en lui ; la grenade s'était changée en un lotus inutile. *Amyntas* est à la fois la reconnaissance et la liquidation de sa dette envers le désert et l'oasis, et un antidote à l'errance. Et il intitula la partie la plus importante de son livre : « Le renoncement au voyage ».

Au bout d'un mois, sa femme vint le rejoindre. D'Alger, il contempla la mer qui allait la porter jusqu'à lui et écrivit : « Mon regard invente la route et le sillage du bateau ; que ne peut-il plonger jusqu'à Marseille. Ah ! que la mer clémentement te porte ! et que le mouvement des vagues te soit doux ! » *Amyntas* est l'un des rares livres de Gide qui soit dédié à sa femme[1]. Ensuite, il se consacra à elle et à Cuverville d'où il écrivit l'automne suivant : « La rafale du Nord bat ma vitre. — Oh ! que les caravanes étaient belles, quand, le soir, à Touggourt, le soleil se couchait dans le sel ! »

Plus tard, en 1914, Gide classe *Amyntas* parmi ses œuvres poétiques. La prose d'*Amyntas* ne contient aucun de ces alexandrins cachés qui confèrent tant de charme aux *Nourritures terrestres*, mais elle comporte des inversions poétiques souvent recherchées, qui sont une innovation intéressante dans une langue aussi rigoureuse que le français. Toutefois, même en français, l'emploi des verbes est extrêmement souple et Gide obtient nombre de ses effets en choisissant judicieusement l'emplacement du verbe. Il est significatif qu'au cours de ce voyage il relut les *Bucoliques* de Virgile, où il trouva le même pointillisme verbal, la chaleur et l'ombre pastorales, la mélancolie diffuse et cependant insaisissable que renferme son livre. C'est là aussi qu'il trouva son titre, comme il y avait trouvé les noms de Ménalque et de Tityre et allait y prendre celui de Corydon.

Si j'étais comme toi berger, pour moi aussi
Phyllis tresserait des couronnes, Amyntas chanterait,

et Virgile ajoute : « Amyntas est basané : et après ? » Ce cri du cœur[2], Gide l'avait placé en exergue au livre septième des *Nourritures terrestres*.

---

1. Les autres sont *La Porte étroite*, dans certaines éditions et *Dostoïevski*.
2. « *Quid tunc, si fuscus Amyntas ?* »

CHAPITRE V

LE NOUVEAU DÉPART DE L'ENFANT PRODIGUE

LE RETOUR DE L'ENFANT PRODIGUE
LA PORTE ÉTROITE, ISABELLE

> « Savoir se libérer n'est rien ;
> l'ardu, c'est savoir être libre. »
>
> *L'Immoraliste.*

Le mois de décembre 1905 voit le début d'une série de rencontres capitales avec Paul Claudel de retour de son consulat de Chine pour passer un congé d'un an parmi les barbares français. Arrivé au mois de mai précédent, Claudel avait peu après retrouvé Francis Jammes dans sa maison des Pyrénées où celui-ci vivait les derniers moments d'une histoire d'amour qui durait depuis trois ans. Les parents de la jeune fille s'étaient opposés à son mariage ; elle avait menacé de prendre le voile, puis, en juillet, elle avait épousé, ainsi que le pauvre Jammes l'écrivait à Gide, « un monsieur qui est en résidence à Suez ». Claudel profita de l'occasion pour rapprocher Jammes de Dieu. Ils communièrent côte à côte et firent un pèlerinage à Lourdes. Jammes avait toujours été bon catholique ; de ce jour il devint, à l'exemple de Claudel, militant. En décem-

bre, Claudel se mit en quête d'un plus gros gibier.
En aucun autre moment, à l'apogée de son recul vis-
à-vis des *Nourritures terrestres*, Gide n'avait été aussi
prêt à affronter un chasseur d'âmes. Avant même leur
rencontre, il avait écrit à Jammes, sachant que
celui-ci transmettrait à Claudel : « J'ai longtemps
balancé si je chercherais à le voir, à Paris ; puis il me
semblait que je n'aurais bien pu le recevoir que dans
certaine pièce secrète, dont j'ai perdu la clef depuis
longtemps, mais que tu sais que je cherche à rouvrir. »
Toutefois, lors de leur rencontre, Gide était sur la
défensive. En 1900, Claudel « avait l'air d'un clou ; il
a l'air maintenant d'un marteau-pilon » — ou encore,
ajoute Gide, « d'un cyclone figé ». Gide l'invita néanmoins à déjeuner ; durant tout le repas, Claudel parla
de Dieu, du catholicisme, de sa foi et de la joie qui
accompagnait celle-ci. Gide fut ému et dit : « Je vous
comprends bien ». Et Claudel : « Mais, Gide, alors,
pourquoi ne vous convertissez-vous pas ? », et il lui
laissa l'adresse de son confesseur. Le siège fut poursuivi par correspondance, et au mois de mars suivant,
les combattants eurent une « explication ». « Non la
communion avec l'Eucharistie m'attirait, mais celle
avec Claudel », écrivit Gide à Jammes : « Si Claudel
a « son Dieu », j'ai le mien, et ma faiblesse est impie
qui me laissait m'en écarter ainsi ». Claudel repartit
pour la Chine mais Jammes tenta, sans délicatesse, de
réussir là où son maître avait échoué. Une année
pénible s'ensuivit pour Gide qui dut se sentir pareil à
un cannibale capturé par des missionnaires. Il s'occupait de son cousin, Paul Gide, pris dans une difficile histoire d'amour, pour ne rien dire de la sienne

avec un certain M., et d'autre part le début de *La Porte étroite* lui donnait du mal. Il souffrit d'insomnie et de fatigue nerveuse, consulta le docteur Andreæ à Genève, en mai, et partit se reposer en Bretagne au mois d'août. En février 1907, sous le coup d'une soudaine inspiration, il écrivit *Le Retour de l'enfant prodigue,* un de ses rares livres majeurs qui fut écrit sans des années de profondes réflexions.

La parabole de Gide débute là où la termine l'Évangile. Qu'arriva-t-il dans la maison de l'enfant prodigue après que le veau gras eut été mangé et le frère mécontent fut-il satisfait lorsque le Père lui dit : « Ton frère que voilà était mort, et est revenu à la vie » ? L'enfant prodigue de Gide n'avait pas fui la maison pour connaître des joies interdites, mais « pour acheter la ferveur au prix de tous mes biens ». Ses années de vagabondages ne furent pas employées en dissipations ; il les a passées dans le désert où il a cherché et trouvé le dénuement. Ce n'est pas un immoraliste, mais le voyageur des *Nourritures terrestres* et d'*Amyntas* qui revient à la maison, épuisé.

Le lendemain du festin, le Père le réprimande : « Mon fils, pourquoi m'as-tu quitté ? » Le fils prodigue répond que dans le désert il s'est senti plus près de son Père que dans la maison de celui-ci — car « Vous, vous avez construit toute la terre... La Maison, d'autres que vous l'ont construite ». Et le Père convient qu'il n'a parlé que selon les désirs du frère aîné, car « ici c'est lui qui fait la Loi ». Le lendemain, c'est au tour du frère : « Le Père ne s'explique plus très clairement », dit-il, « et qui veut comprendre le Père doit m'écouter ». La liberté et le sacrifice mènent au chaos, prétend-il ; nous devons tenir ferme ce que nous avons. Le modèle de l'existence humaine est déjà parfait et nous ne devons pas nous en écarter. « Entre dans le repos de la Maison », conclut-il avec bonté. Et le prodigue accepte : « Cela va bien parce que je suis fatigué ».

Le lendemain, il s'entretient avec sa mère : « Je cherchais... qui j'étais », lui confie-t-il. « Oh ! fils de tes parents et frère entre tes frères », lui répond-elle. Celle-ci est inquiète au sujet de son plus jeune fils [1] qui ressemble au prodigue et elle craint que lui aussi ne parte. Au cours de la quatrième nuit, le fils prodigue obéit à sa mère et va mettre son jeune frère en garde contre les dangers de la liberté. Sur la table, près de son lit, l'enfant a une grenade, le fruit terrestre par excellence ! Il va partir cette nuit même et le prodigue, avec une admiration pleine d'amertume, lui donne sa bénédiction : « Tu emportes tous mes espoirs. Sois fort, oublie-nous ; oublie-moi. Puisses-tu ne pas revenir... »

La fable de Gide est extrêmement ambiguë, tout comme était l'esprit qu'elle exprime. Jusqu'à la mort de sa mère, Gide avait été toute contrainte ; depuis 1893, il était toute liberté. Désormais, contrainte et liberté allaient coexister en lui dans une harmonie sans cesse croissante. Ce serait une erreur de ne voir qu'une satire dans le « poème » de l'enfant prodigue ; le ton en est révérencieux et même religieux tout autant qu'ironique. Malgré l'opportunisme des paroles du frère aîné, bien des choses dans son discours sont dignes et belles, bien des choses sont non seulement

1. Dans saint Luc, xiv, il n'est fait mention que de deux frères.

vraies, mais ressenties comme telles par Gide. La parabole symbolise la victoire de Gide sur Claudel, mais aussi son désir passager de se soumettre et sa vision (vision et soumission auxquelles il a renoncé mais dont il se souvient) du repos bienfaisant et des joies licites de la Maison du Dieu de Claudel.

La Maison n'est pas le Ciel, comme dans l'Évangile, mais l'Église catholique universelle. Le frère aîné est le prêtre militant, et le Père n'est pas Dieu, mais Dieu interprété par le prêtre. Il ressort de la parabole de Gide que Dieu ne peut parler pour lui-même et c'est peut-être en cela qu'elle manque d'universalité. Et pourtant, à certains moments, c'est le Dieu protestant de Gide qui se montre pour dire : « Je sais ce qui te poussait sur les routes ; je t'attendais au bout. Tu m'aurais appelé... j'étais là ». Et l'enfant prodigue s'écrie : « Mon Père ! j'aurais donc pu vous retrouver sans revenir ? »

Sur un plan plus personnel, la Maison est Cuverville et le désert qui l'environne, la Tunisie. Le frère aîné est Claudel et le frère puîné est la synthèse de ces Nathanaël réels qui, alors que Gide était revenu à la discipline, commençaient de prêter l'oreille à sa doctrine de la liberté. Mais l'enfant prodigue n'est pas Gide. Là où le prodigue s'est avoué vaincu, Gide a eu raison de Claudel ; et c'est dans une autre maison qu'il est retourné, non dans la Maison du Dieu de Claudel, mais dans sa propre demeure de Cuverville. De plus, ce retour fut un retour véritable. Il repartirait encore, mais jamais plus avec ce sentiment de liberté totale qui avait été le sien à l'époque des *Nourritures terrestres*. Désormais il s'était attaché à

Cuverville, à son travail, à une règle librement imposée et ses voyages ultérieurs n'en furent peut-être que plus enrichissants. Il n'était plus « un cerf-volant qui pense voler plus haut sans sa corde ». Il était revenu à la maison — toutefois il continue de penser que son voyage était nécessaire aussi bien pour lui que pour les autres. La conversion fut pour sa maturité ce que l'immoralisme avait été pour sa jeunesse : une grande tentation qu'il surmonta en abandonnant dans un livre cette partie de lui-même qui avait capitulé.

La contrainte inopinée imposée par Claudel et qui obligea Gide à méditer sur Dieu et sur ce que l'homme a fait de Lui (sujet qu'il n'avait pas traité depuis le Miglionaire du *Prométhée*) a peut-être fait disparaître une certaine inhibition qui gênait la composition de *La Porte étroite*, laquelle traînait en longueur depuis le début de juin 1905. A partir de juin 1907, Gide ayant réécrit ses premiers chapitres pour la quatrième fois, la rédaction avança beaucoup mieux. Le roman fut achevé le 15 octobre 1908 et, le jour suivant, Gide rasa pour toujours ses moustaches ! « Mon pauvre André ! tu dois voir que tu t'es trompé », lui dit sa femme, mais ce geste sans importance n'était pas sans raison. Dans son roman, Gide avait dit un dernier adieu à son passé. Son visage et lui n'avaient désormais plus rien pour se cacher et l'ironie de son art et de ses traits pouvait être montrée à tous.

La Porte étroite avait commencé de s'élaborer dans l'esprit de Gide bien avant 1905. Le livre s'était appelé successivement *Essai de bien mourir*, puis *La Mort de* Mlle *Claire*, et devait parler d' « une âme qui croit avoir mal adoré ». Cette histoire eut comme premier point de départ la mort solitaire de Miss Anna Shackleton. Celle-ci était morte en mai 1884, dix jours après que Gide, âgé de quatorze ans, et sa mère, l'eurent conduite dans une maison de santé. Dans son autobiographie, il écrit à son sujet : « J'imaginais l'appel désespéré de cette âme aimante que tout, sauf Dieu, désertait ; et c'est l'écho de cet appel qui retentit dans les dernières pages de ma *Porte étroite*. » Il rédigea une partie de son roman devant le miroir du secrétaire de Miss Shackleton dont avait hérité sa mère. Mais ce fut une célibataire toute différente qui, dans *La Porte étroite*, mourut dans la chambre d'une maison de santé, et même Dieu devait la déserter.

Au début de *La Porte étroite*, nous sommes dans le milieu familier de la jeunesse de Gide. Jérôme, un jeune protestant sérieux, est amoureux d'Alissa Bucolin, sa cousine du Havre. Un soir, il se glisse jusqu'à sa chambre et la découvre agenouillée et en pleurs. Aussitôt il prend la résolution de consacrer sa vie à rendre la jeune fille heureuse. Alissa avait découvert l'infidélité de sa mère qui, peu après, s'enfuit avec un amant. Le dimanche suivant, le pasteur Vautier, l'ami de la famille, fait, « sans doute intentionnellement » un sermon sur le texte de saint Luc : « Efforcez-vous d'entrer par la porte étroite, car la porte large et le chemin spacieux mènent à la perdition, et nombreux sont ceux qui y passent ; mais étroite est la porte et resserrée la route qui conduisent à la Vie, et il en est peu qui les trouvent ». La vie des deux cousins est régie par leurs interprétations différentes de cette parole.

Jérôme imagine la porte étroite semblable à celle de

la chambre de sa cousine et la route resserrée juste
assez large pour deux ; tandis que pour Alissa elle ne
peut donner passage qu'à une seule personne. D'abord
elle déclare qu'ils sont trop jeunes pous se fiancer, puis
elle découvre que sa sœur Juliette est également amoureuse de Jérôme et s'efface au profit de celle-ci.
Juliette finit par trouver le bonheur en épousant quelqu'un d'autre, mais Alissa repousse toujours Jérôme.
Il semble qu'elle se soit détournée de lui vers Dieu
à qui elle a offert le sacrifice de leur amour pour prix
de son salut.

Il y a une ultime rencontre à la petite porte dans
le mur du jardin de Fongueusemare, la maison de
campagne des Bucolin (cette petite porte existe encore
dans la propriété de Gide à Cuverville). Cette porte est
l'image terrestre de l'étroite porte du ciel qu'ils ne
peuvent franchir côte à côte. « Mais forcer la porte »,
dit Jérôme, « mais pénétrer n'importe comment dans
la maison, non, encore aujourd'hui que je reviens en
arrière pour revivre tout ce passé, non, cela ne m'était
pas possible, et ne m'a point compris jusqu'alors celui
qui ne me comprend pas à présent ». Alissa se rend
dans une maison de santé à Paris pour y mourir seule
et lègue à Jérôme son journal où elle révèle le secret
de son sacrifice, que nous devons chercher avec lui.
La Porte étroite est un roman qui comporte un mystère, et celui-ci demeure entier autant de fois qu'on l'ait
lu. Mais l'opinion courante, qui ne veut y voir que la
tragédie d'un jeune amour détruit par l'austérité religieuse est aussi erronée que celle de Francis Jammes,
qui voyait en Jérôme un mécréant dont les efforts pour
éloigner Alissa de Dieu étaient heureusement déjoués.

Jérôme, pour les besoins du livre, est un personnage assez inconsistant. Moins résigné, il aurait pu forcer Alissa à capituler, ou trouver un autre intérêt à sa vie, et dans un cas comme dans l'autre le roman aurait eu une autre fin malheureuse. Dans le livre tel qu'il se présente, Alissa peut faire appel à son esprit de chevalerie et à un goût du sacrifice à peine moindre que le sien pour le tenir à distance respectueuse ; et pourtant elle ne décourage jamais Jérôme au point de l'éloigner avant que l'heure du sacrifice ait sonné et qu'elle puisse offrir à Dieu son amour et celui de Jérôme. D'ailleurs, jusqu'à la fin, le jeune homme demeure persuadé que chaque refus est une épreuve qui sera récompensée par la reddition d'Alissa. « Contre le piège de la vertu, je restais sans défense », déclare-t-il. « Tout héroïsme m'attirait... car je ne le séparais pas de l'amour. » Il la suit dans son ascension, pensant pouvoir l'acculer au sommet, mais Alissa le déjoue encore en s'élançant de ce sommet, peut-être vers le ciel, peut-être pas.

Le journal d'Alissa révèle que son amour pour Jérôme fut plus grand que le sien pour elle et que, dans ses moments de plus grande austérité, elle fut tout près de céder. Elle aima Jérôme plus que Dieu et elle-même plus que Jérôme ; son suicide virtuel est une dernière tentative pour se le dissimuler. Mais c'est aussi une revanche inconsciente sur celui qui l'aime. Plus sage que Jérôme, elle sait que ce n'est pas elle qu'il aime, mais l'image, si semblable à lui-même, qu'il lui a prêtée. Elle reconnaît que « notre correspondance entière n'était qu'un grand mirage, chacun de nous n'écrivait qu'à soi-même ». Blessée dans son amour-propre, elle se venge en s'élevant encore plus haut, vers un sommet de vertu bien au-dessus de l'idéal qu'il s'était forgé d'elle. Mais en renonçant à celui qui l'aime, Alissa a abdiqué toute volonté de vivre et a perdu du même coup la récompense qu'elle espérait trouver dans l'autre monde. Sur son lit de mort, trop tard, elle comprend qu'elle n'est pas prête à mourir et que Dieu, qui ne sera pas dupe, n'a pas accepté son sacrifice. Elle avait pressenti avec raison que la porte étroite ne leur permettrait pas d'entrer ensemble ; et elle découvre à présent qu'elle ne livrera pas passage au solitaire qui portera encore les fardeaux de la terre. Cette porte est trop étroite pour le riche avec sa fortune, mais aussi pour l'âme qui a refusé de se dépouiller de son orgueil.

La pauvre Alissa, en empruntant un chemin inverse, est parvenue à une damnation qui ressemble beaucoup à celle de l'Immoraliste. En fait, *La Porte étroite* pourrait s'appeler *La Moraliste*. La perversité de la jeune fille est plus grande que celle de Michel, qui, après tout, ne faisait que ce qu'il aimait ; tandis qu'Alissa accomplit ce qu'elle n'aime pas et que son angoisse augmente avec chaque nouvel acte de vertu monstrueux, jusqu'à finir par la tuer. Et cependant, sa vision du bonheur céleste est si parfaitement belle que ses moyens pour y parvenir s'en trouvent presque justifiés. Comme L'Immoraliste était presque justifié de pécher pour parvenir au bonheur terrestre, Alissa, elle aussi, est presque justifiée de pécher pour atteindre son idéal céleste, bien que faux. Et chacun paie le prix qu'il convient : la mort spirituelle pour Michel, la mort physique, et même plus, pour Alissa. Gide écrit dans son *Journal* : « Qui donc persuaderai-je que ce livre est le jumeau de *L'Immoraliste* et que les deux sujets ont grandi concurremment dans mon esprit, l'excès de l'un trouvant dans l'excès de l'autre une permission secrète, et tous deux se maintenant en équilibre [1] ». Sa femme a peut-être deviné son intention sans pour cela avoir été convaincue de sa justesse. Beaucoup plus tard, il nota dans son *Journal* [2] qu'il avait écrit tous ses livres jusqu'aux *Faux Monnayeurs* « sous l'influence de (Madeleine) ou dans le vain espoir de la convaincre ». *La Porte étroite* rappelle le souvenir encore douloureux de la cour que Gide fit sans succès à sa cousine entre 1888 et 1891 ; c'est *André Walter* avec une réévaluation du parti coupable. Gide dit ainsi à sa femme que si le message de *L'Immoraliste* est : « Tel, sans la grâce de Dieu, serait mon châtiment », alors le message de *La Porte étroite* est également : « Tel, sans la grâce de Dieu, serait le vôtre » ; ou « si j'admets que ma position est dangereuse, vous devez admettre vous aussi que la vôtre l'est autant ».

Le public ne vit rien des complexités qui se cachaient sous la forme parfaitement classique du roman de Gide le plus aisément accessible. C'est le plus charmant exemple de cette idylle favorite de la littérature française : l'amour au château. La belle Alissa possède l'innocence exquise d'une héroïne de Tourgueniev et le goût de Gide pour la campagne normande a trouvé son apogée dans la beauté de Fongueusemare et de ses saisons, dont Jammes disait curieusement : « Décrire la beauté du parc est impossible ici, il me faudrait

1. *Journal*, 7 février 1912.
2. *Journal*, 9 juin 1928.

présenter chaque feuille, et le livre en compte trois cents ». A la stupéfaction de tous, le livre commença à se vendre et les éditeurs de Gide, le Mercure de France, ne furent pas les moins surpris. Après avoir fait un tirage exceptionnellement important pour Gide, mille exemplaires, ils avaient détruit les plombs ; mais, au bout de deux mois, il fallut faire une nouvelle édition. Il est possible que le désir d'éviter de nouvelles mésaventures de ce genre fut pour quelque chose dans la décision prise par la *N.R.F.* en 1911 de créer sa propre maison d'édition sous la direction de Gaston Gallimard. La nouvelle maison devint l'éditeur exclusif de Gide avec *Isabelle*, qui parut cette même année. Et Gide fut bientôt, sinon un auteur populaire, du moins un auteur impopulaire dont les livres se vendaient bien.

Nous approchons maintenant des années au cours desquelles Gide devint un grand romancier. Toutefois nous serons arrêtés, comme Gide lui-même, par une œuvre qui, de prime abord, paraît en marge, mais qui, en réalité, marque une transition capitale. Lorsqu'il commença *Isabelle* en avril 1910[1], Gide n'était pas convaincu que ce fût l'œuvre qu'il devait écrire à ce moment. Il n'appréciait pas les nuances subtiles de son style et ne songeait plus qu'à la gaieté et aux « tons plats » de la prose qu'il prévoyait pour *Les Caves du Vatican*. Mais *Isabelle* constitua un petit exercice préliminaire dans l'art d'écrire sur les autres, et d'utiliser dans une intrigue impersonnelle le génie de la narration qu'il avait acquis dans la fiction autobiographique. L'art du récit de Mérimée, qu'il avait

1. Terminé le 12 novembre 1910. Voir *Journal* du 14 novembre.

relu l'année précédente, se retrouve ici, mais il en adoucit l'âpreté par le paysage vert et humide de la Normandie qui n'aurait pas plu à Mérimée, lequel ne connaissait aucun milieu entre la Méditerranée et la Baltique. De Mérimée aussi [1], vint l'idée d'un narrateur qui visite un château, y devine un mystère et décide de le découvrir ; mais c'est à l'histoire locale que Gide emprunte son intrigue. Le subtil mélange de fiction et de réalité, alors même qu'il avait abandonné l'autobiographie, allait demeurer une constante primordiale de son œuvre romanesque.

En septembre 1898, Francis Jammes fit une visite à La Roque. Il raconta [2] : « On m'avait logé dans la chambre la plus fantomale, située dans une tourelle en ruine, où je découvris un matin un petit hibou dans ma pantoufle ». Une nuit, cependant, sa solitude fut égayée par une vision beaucoup plus séduisante : l'apparition d'une belle dame qui s'avança vers son lit sur un rayon de lune. Un autre jour, Gide le conduisit à un manoir en ruine des environs et lui en raconta l'histoire ; cette nuit-là, Jammes écrivit sa quatrième élégie, superbe mais romanticisée :

> Quand tu m'as demandé de faire une élégie
> Sur ce domaine abandonné où le grand vent...

Et douze ans plus tard, dans *Isabelle*, Gide révéla l'affreuse tragédie [3]. Gérard, un jeune étudiant, arrive à

---

1. Sans doute de *La Vénus d'Ille* et de son chef-d'œuvre peu connu, *Lokis*.
2. « Tout cela est charmant », remarqua Gide avec aigreur. « Je ne puis me retenir de croire qu'un peu de vérité eût intéressé davantage. »
3. Isabelle, les vieux parents, l'enfant infirme, la vente des arbres,

Quartfourche (ce nom signifie carrefour. « C'est ici,
pense Gérard, qu'Hercule hésite.... Je sais du reste ce
qui l'attend sur le chemin de la vertu ; mais l'autre
route ? » se demande-t-il), où il trouve quatre vieillards
ainsi que l'aumônier de la famille et un enfant infirme
et faible d'esprit. Le pauvre Casimir semble ne plus
avoir de parents et nous imaginons Dieu sait
quelle sombre histoire de séduction de l'héritière du
château par l'abbé ou le jardinier, ou encore un
inceste... mais cette présomption est fausse et la naissance de Casimir n'est pas au centre du mystère de
cette demeure. Gérard voit un portrait de la mère de
l'enfant et tombe amoureux de son angélique candeur.
Dans un pavillon désert au fond du parc, il découvre
une lettre que cette femme avait écrite à son amant la
veille du jour projeté pour leur fuite, et l'abbé lui
révèle que le jeune vicomte fut tué durant la nuit
fatale, quinze ans plus tôt, par le jardinier Gratien.
Quelle dut être l'angoisse d'Isabelle tandis qu'elle
attendait l'amant qui ne vint jamais ! La malformation
de Casimir fut causée par ses efforts pour dissimuler
sa grossesse avant que ses parents ne l'eussent chassée.
Le dernier soir du séjour de Gérard, Isabelle, encore
belle quoique déchue, arrive pour demander de l'argent
aux vieux. Gérard l'épie, mais il ne parvient pas à se
trouver seul avec elle.

Le printemps suivant, Gérard revient ; il trouve les
vieillards morts et Isabelle devenue propriétaire du

l'avilissement final d'Isabelle et nombre de détails secondaires sont
tirés de la réalité. Quartfourche était le château de Formentin, près
de La Roque. Gide connut « Casimir », mais ne rencontra jamais
« Isabelle », qui mourut en 1894.

château. Celui-ci doit être saisi, mais Isabelle, en couchant avec l'homme d'affaires des créanciers, est parvenue à vendre les arbres du parc cinq francs chacun. Sa déchéance ne fait qu'attirer Gérard davantage ; il lui déclare son amour et lui montre la lettre depuis si longtemps perdue. A la vue de ce souvenir ressurgi de son passé, Isabelle éclate en sanglots et lui révèle son secret. La nuit de sa fuite, elle fut saisie de terreur devant cette liberté qu'elle avait si ardemment désirée ; manquant de courage pour avertir le vicomte de sa décision, elle avait demandé à Gratien de l'empêcher de la rejoindre ; et Gratien avait montré trop d'empressement à obéir, avec le résultat que l'on sait. La douleur d'Isabelle n'a qu'elle-même pour objet, pas du tout son amant assassiné. Puis, retrouvant son sang-froid, elle laisse entendre à Gérard horrifié qu'elle est prête à recevoir ses avances. L'amour d'Isabelle de Saint-Auréol est à portée de sa main, mais la réalité est trop éloignée du rêve. Il se retire en hâte, et Isabelle se met en ménage avec un cocher. « Elle n'a jamais pu rester seule ; il lui en a toujours fallu un », déclare Gratien.

De te fabula. Gide n'avait pas encore découvert Browning, mais l'histoire *d'Isabelle* est la même que celle de *The Statue and the Bust,* avec la même morale que celle proposée par Browning, à savoir que lorsque le seul instinct vital du cœur est de succomber au péché, l'abstinence peut alors être un crime plus grand encore. En refusant de céder une fois à la tentation, Isabelle a perdu sa seule chance de vertu, et tout cela en vain ; car ensuite, combien de fois n'a-t-elle pas pris les bijoux de sa mère afin de suivre un amant après

l'autre ! Mais le thème caché du récit de Gide est
plus sombre encore. Il nous a démontré rien moins
que l'échec de l'amour romantique. L'amour de Gérard
pour Isabelle est encore plus révélateur que celui du
vicomte assassiné. Gérard est tombé amoureux d'un
visage et, cherchant la vérité qui se cachait derrière,
il n'a trouvé qu'une fille de rien. Mieux vaut l'amour
des sens ou pas d'amour du tout que la vision erronée
de quelque chose de plus haut que soi-même ! Gide
revint rarement sur ce sujet, et jugea suffisant de
l'aborder dans un roman secondaire. Toutefois, par
son absence même, il est implicite dans toute son
œuvre. La fausseté de la conception de l'amour du
dix-neuvième siècle, que nous l'acceptions ou non, est
l'un des thèmes majeurs du vingtième siècle. Jusqu'à ce
jour, aucune nouvelle invention n'a pu la remplacer ;
et Gide dirait probablement que nous pouvons et
devons nous en passer. Ce n'est pas simple coïncidence
si les traits d'Isabelle sur la miniature ressemblent
beaucoup à ceux d'Alissa, à ceux de Marceline.

CHAPITRE VI

CRIME SANS CHÂTIMENT

LES CAVES DU VATICAN

> « Cet effort abominable pour emporter au paradis ses péchés. »
>
> *Journal*, 1913.

La composition d'un roman majeur ne fut, pour le génie de Gide parvenu à sa maturité, le fait d'aucun grand événement. Les dix années précédentes, années d'influences et de contraintes, son renoncement aux voyages et les autres liquidations de son passé, la rédaction de *L'Immoraliste* et de *La Porte étroite* lui avaient servi de préparation. Une fois cette préparation terminée, il écrivit *Les Caves du Vatican*. Il commença ce travail en octobre 1911 et l'acheva le 23 juin 1913.

Une si grande partie de l'action se déroule dans le train qu'il paraît nécessaire de commencer et de conclure l'étude de ce roman par quelques anecdotes vécues par Gide au cours de ses voyages en chemin de fer. En octobre 1911, il note dans son *Journal* : « Un vendredi, un 13, il ne fallait pas manquer cela. Voyagé à côté d'une petite grue à binocle, qui a tenu tout le

compartiment éveillé jusqu'à une heure et demie du
matin, pour lire *Baiser de Femme*, qu'elle a commencé
en gare de Paris et dévoré tout d'une haleine. Trop
exaspéré contre elle pour pouvoir ensuite m'endormir ;
et surtout de n'avoir rien osé lui dire de cinglant à
cause du corpulent protecteur qui roupillait en face
d'elle ». De cette irritation provoquée par une histoire
de lumière dans un compartiment de train, Gide devait
tirer un incident important de son roman.

Anthime Armand-Dubois, athée, franc-maçon et vivi-
secteur de rats, est venu à Rome pour soigner sa scia-
tique. « Puissiez-vous reconnaître là-bas combien votre
âme est plus malade encore ! », lui dit son beau-frère
Julius. La « libre » pensée d'Anthime est aussi super-
ficielle et empêtrée que la foi de Julius ; la madone lui
apparaît en rêve et guérit à la fois son incroyance et
sa hanche percluse. Il peut alors marcher sans béquilles
et le monde catholique salue en lui un grand converti.

La sœur de la femme d'Anthime a épousé le comte
Julius de Baraglioul, romancier catholique et académi-
cien en puissance ; celui-ci reçoit l'ordre de son père,
ambassadeur en retraite, de mener une enquête sur un
certain Lafcadio Wluiki. La maîtresse provisoire de
Lafcadio, Carola, fait entrer Julius dans la chambre de
son amant où il trouve le journal du jeune homme que
celui-ci le surprend à lire. Agé de dix-neuf ans seulement, Lafcadio est déjà un surhomme nietzschéen. Il
est blond, beau, et possède un corps et une volonté de
fer. Chaque fois qu'il se laisse aller à trahir ses sentiments réels, il se punit en enfonçant un canif dans sa
cuisse. Sa mère était une courtisane de grande classe
et il a été élevé par les amants successifs de celle-ci.

Lafcadio et Julius comprennent sur-le-champ qu'ils sont demi-frères. Lafcadio renvoie Carola et fait la connaissance de Geneviève, la fille de Julius, qui tombe amoureuse de lui. Le vieil ambassadeur meurt en léguant une fortune à son fils naturel.

Un camarade d'école de Lafcadio, Protos, déguisé en prêtre, rend visite à la sœur de Julius, la comtesse Valentine de Saint-Prix. Le pape, lui explique-t-il, a été emprisonné par les francs-maçons et un imposteur règne à sa place. Il recueille un don de soixante mille francs destinés à la croisade qui doit délivrer le Saint-Père, et adjure la comtesse d'être d'une discrétion absolue. Celle-ci se hâte d'informer sa belle-sœur, Arnica Fleurissoire, la sœur cadette des épouses de Julius et d'Anthime, qui confie le secret à son mari Amédée. Ce nigaud généreux est le chrétien le plus réaliste de la famille ; aussitôt, il se met en route pour Rome afin de porter secours au pape.

La première nuit, Amédée se bat contre les punaises, la seconde contre les puces, la troisième contre les moustiques. A son arrivée à Rome, on le conduit dans un hôtel borgne qui s'avère être une maison close, où Protos vit avec Carola. Cette quatrième nuit, il ne dort pas non plus, car Carola le séduit (bien que marié, il était encore vierge). Amédée est alors terrassé par le remords et se juge désormais indigne d'accomplir sa mission. Carola lui offre ses boutons de manchettes, cadeau de Lafcadio, et conjure Protos de ne lui faire aucun mal. Amédée possède une lettre d'introduction auprès d'un authentique cardinal de Naples, mais Protos le conduit chez un imposteur, puis le renvoie à Rome afin d'encaisser un chèque. Là, il rencontre Julius qui vient de perdre la foi après avoir plaidé sans succès devant le pape la cause d'Anthime, qui se fait une gloire de la pauvreté chrétienne à laquelle les francs-maçons et l'Église l'ont également réduit. Julius n'est pas convaincu par la thèse d'Amédée selon laquelle le pape n'est pas à blâmer. Un pressentiment pousse Amédée à prier Julius de l'accompagner à Naples ; celui-ci refuse, mais aide son beau-frère à encaisser son chèque et lui donne son billet circulaire.

Amédée monte dans la voiture qui doit emmener Lafcadio, devenu riche, jusqu'au navire où il s'embarquera pour Bornéo. Le terrible adolescent est à la recherche d'un imprévu, d'une occasion de commettre un acte irrationnel. Agacé par l'air médiocre de Fleurissoire et par ses manipulations intempestives du commutateur du compartiment, Lafcadio ouvre la portière et le pousse à l'extérieur. Hélas ! Amédée entraîne dans sa chute le nouveau chapeau de castor, joie et orgueil de Lafcadio, dont la coiffe porte l'adresse du chapelier. Lafcadio est stupéfait de découvrir le nom de Julius sur le billet de Fleurissoire et l'est encore plus, le lendemain, en lisant qu'on a trouvé sur le cadavre des boutons de manchettes qu'il reconnaît pour être ceux de Carola et, chose extrêmement bizarre, que le nom du chapelier a été découpé dans la coiffe du chapeau. « Ce vieillard est un carrefour », murmure Lafcadio. Il retourne à Rome et trouve Julius qui l'entretient avec enthousiasme du sujet de son prochain roman. Il a résolu d'explorer les profondeurs psychologiques d'un acte parfaitement immotivé. Aussi verrait-il un exemple venu du ciel dans le meurtre de son beau-frère (« Cette aventure providentielle », comme il l'appelle, et il parle du meurtrier en disant « mon héros »), si le vol n'en était le mobile évident. C'en est trop pour Lafcadio qui lui fait remarquer que, d'après le journal, les 6 000 francs de Fleurissoire ont été retrouvés intacts dans le compartiment du train. Julius est incapable de reconnaître un acte gratuit lorsqu'il en rencontre un. Si le vol n'est pas le mobile, alors l'histoire d'Amédée est vraie et le défunt est mort en martyr pour la cause du pape. Il retrouve donc la foi, mais, persuadé qu'il court le même danger puisqu'il connaît le terrible secret, il persuade Lafcadio d'aller à sa place chercher le corps à Naples.

Dans le train, un voyageur engage la conversation avec Lafcadio et lui parle des barrières des conventions sociales, du crime nécessaire comme évasion, et de la liberté singulière du bâtard. Ce sinistre discours est si bouleversant que Lafcadio est vraiment soulagé lorsque son interlocuteur se révèle être Protos sous un déguisement. Il a assisté au meurtre et c'est lui qui a fait disparaître l'adresse du fournisseur sur le chapeau ; aussi essaie-t-il de contraindre Lafcadio à entrer dans sa bande et à faire chanter Julius. « Excusez-moi de vous préférer la police », lui répond Lafcadio.

A l'enterrement, Julius, le nouveau dévot, révèle à Anthime le secret du faux pape. Furieux d'avoir souffert pour rien, Anthime redevient sur-le-champ franc-maçon et recommence à boiter. Protos est dénoncé par Carola qui le croit responsable du meurtre de son bien-aimé Fleurissoire et il étrangle celle-ci au moment où la police vient l'arrêter. Lafcadio avoue son crime à Julius qui, sans trop de sévérité, lui conseille de se réformer et d'aller se confesser. Geneviève surprend

cette conversation et court à la chambre de Lafcadio
pour le supplier de fuir. Il lui annonce qu'il va se
livrer à la police ; alors, affolée à l'idée de le perdre,
la jeune fille se jette dans ses bras. Le roman s'achève
à l'aube, lorsque Lafcadio se lève et contemple non pas
son amante endormie, mais la ville qui s'éveille. « Quoi !
va-t-il renoncer à vivre ? » demande Gide. « Et pour
l'estime de Geneviève, qu'il estime un peu moins depuis
qu'elle l'aime un peu plus, songe-t-il encore à se
livrer ? »

Pour comprendre *Les Caves du Vatican*, il nous faut
découvrir ce que Gide pensait et faisait à l'époque où
il écrivit ce roman. Il y a deux intrigues principales
dans *Les Caves du Vatican* : l'histoire de Lafcadio et
celle de la conspiration. Elles sont reliées l'une à
l'autre par les rapports entre les familles qui en sont
les protagonistes. La première mention de ce roman
dans le *Journal* de Gide est une note du 20 janvier 1902 : le « roman que je rêve, c'est-à-dire : les
relations entre une douzaine de personnages ». Peu
avant, le 5 janvier, il faisait l'observation suivante :
« De grands crimes n'ont été commis parfois si aisément que comme en rêve. Après, on eût voulu s'en
réveiller. On eût voulu n'avoir pas été pris au sérieux ».
Cette pensée vint plus tard à l'esprit de Lafcadio ! Et
ces deux passages du *Journal* sont placés au milieu d'une
multitude de modèles vivants susceptibles de convenir
à Lafcadio. Mais d'où vint l'idée de l'escroquerie ?

Cette conjuration doit beaucoup à la bande nihiliste
des *Possédés*, de Dostoïevski, et Protos[1] rappelle l'abo-

1. Son esprit railleur, son allure de dandy, sa prose élégante, son
argot particulier, ses plaisanteries et l'ascendant qu'il exerce sur

minable Piotr Verkhovensky. Mais les escrocs du
Vatican ne s'encombrent pas des visées métaphysiques
et apocalyptiques des Possédés ; leur but n'est pas de
détruire, mais de ridiculiser la société. Protos est un
artiste du crime ; il n'escroque pas par simple intérêt,
mais embellit ses filouteries d'une multitude de fiori-
tures d'intrigues et d'ironies, belles mais inutiles. Le
meurtre ne fait pas partie de ses perversions ;
Verkhovensky tue Chatoff, mais c'est Lafcadio qui
assassine Fleurissoire.

Pourtant il y eut bien une escroquerie autour du
Vatican en 1893, l'année même où se déroule le roman
de Gide. Un avocat véreux, une nonne défroquée et
un prêtre scandaleux s'associèrent à Lyon pour répandre la rumeur que Léon XIII avait été emprisonné par
les cardinaux francs-maçons qui lui avaient substitué
un imposteur ; le trio avait recueilli de l'argent des
fidèles en vue de sa libération. Par conséquent, il n'y
a aucune raison de mettre en doute le témoignage de
Paul Laurens qui se souvint que Gide lui avait parlé de
son futur roman à Biskra, en 1893, près de vingt ans
avant qu'il fût écrit, même si Gide déclare dans son
Journal, le 25 septembre 1913 : « C'est plus loin qu'il
ne m'en souvenait ». Pour la conversion d'Anthime
Armand-Dubois, Gide se servit de l'histoire également
vraie d'un cousin franc-maçon de Zola qui abjura son
athéisme lors d'une cérémonie publique à l'église d'Il
Gesu, à Rome, comme le pauvre Anthime. Dans la
mesure où *Les Caves du Vatican* sont une étude des

son camarade d'école rappellent Pierre Louÿs qui, à l'époque où
parut le roman, se mourait déjà lentement de syphilis. Pierre =
Piotr = Protos.

rapports, toujours malheureux, de l'homme avec Dieu, le sujet de ce livre n'est pas sans évoquer le débat tragi-comique entre le Prométhée de Gide et Zeus-le-Miglionnaire, ainsi que d'autres thèmes semblables dans les idées et les œuvres de Gide des années 90. Gide collectionna les coupures de journaux relatives à l'escroquerie de 1893, mais il repoussa son roman de vingt années au cours desquelles une multitude d'autres thèmes vinrent se greffer à ce noyau fantastique, mais pourtant véridique.

L'authenticité de la conspiration de 1893 n'est pas le seul élément réel de cette œuvre de fiction de Gide. A cause de ses rapports tendus avec la couronne d'Italie, Léon XIII était surnommé « le prisonnier du Vatican ». Il était un ennemi acharné des francs-maçons et, en janvier 1890, il promulgua l'encyclique *Sapientiae Christianae* où il approuvait la république française. A ce sujet, Protos glisse hypocritement : « Songez, Madame, à ce que le Saint-Père captif a souffert, entendant ce suppôt imposteur le proclamer républicain ! » Toutefois, il se peut qu'une remarque de Francis Jammes dans une lettre de mars 1898 ait été à l'origine de son regain d'intérêt pour cette escroquerie. « Que fais-tu donc à Rome et notre pape t'y sait-il ? » lui demandait Jammes sur un ton badin qui l'aurait horrifié quelques années plus tard ; « On dit que le grand Chef blanc ne se nourrit que du parfum des roses ? »

Un autre parallèle n'est peut-être qu'une étonnante coïncidence : Gide mit en tête de la partie du roman qui ouvre la conspiration une citation extraite de *L'Annonce faite à Marie*, de Claudel : « Mais de quel roi parlez-vous et de quel pape ? Car il y en a deux et l'on ne sait qui est le bon »[1]. La pièce de Claudel fut publiée en 1914 et écrite, dit-on, en 1912, trop tard pour pouvoir être d'un apport fondamental au roman de Gide. Quant à cet extrait, il n'apparaît pas dans les versions antérieures de sa pièce, celles de 1892 et 1900. Il est possible que la version 1912 de Claudel ait été en fait commencée plus tôt et lue par Gide durant le congé en France de Claudel, en 1905[2]. Claudel ne citait certainement pas Gide ; il insista pour faire disparaître l'épigraphe compromettante, essaya encore une fois de convertir Gide, et finit par rompre avec lui.

La tentative de Claudel sur l'âme de Gide fut d'une importance extrême pour ce roman et fournit à Gide, sinon son sujet, du moins une grande partie de l'énergie nécessaire à sa composition. Avant 1905, le catholicisme laissait Gide indifférent : la recherche de Dieu apparaissait dans tous ses écrits, la fuite du catholicisme dans aucun. Après 1905, il considéra l'Église comme une ennemie des deux plateaux de la « balance gidienne », comme une menace à sa liberté de pensée et comme une tentation pour son amour de la contrainte. A quel point fut grande la tentation, voilà qui est visible dans la beauté et la sincérité de la conversion d'Anthime[3], si excessive en comparaison de

1. Allusion au grand schisme du XIVe siècle pendant lequel il y eut deux prétendants à la papauté.
2. Le titre Les Caves, qui sous-entend l'idée de la conspiration, apparaît pour la première fois dans le Journal, 3 septembre 1905, après la conversion de Jammes par Claudel, mais avant la tentative de celui-ci auprès de Gide.
3. La Vierge apparut aussi, au grand amusement de Gide, à Émile Baumann, un écrivain catholique. Voir Journal, 7 juin 1912.

la soudaine aisance de son apostasie que cette incongru-
ité est l'une des rares faiblesses du livre. Contre la
menace, Gide se défendit par une attaque satirique. La
gigantesque duperie de Protos n'est-elle pas une allégorie de l'Église ? La foi des croyants ne demeurerait-
elle pas la même, semble insinuer Gide, si le pape avait
toujours été un usurpateur ? Et si les fidèles sont si
aisément leurrés sur le pape, ne peuvent-ils pas
être également trompés sur la véritable nature de
Dieu ?

Il pourrait paraître inutile de chercher le modèle de
Lafcadio dans la réalité. C'est de toute évidence le
Raskolnikov de Dostoïevski, métissé de deux héros de
Stendhal : Julien Sorel pour l'orgueil et Fabrice del
Dongo pour la gaieté et la débrouillardise. Toutefois,
nous découvrons dans la vie de Gide au cours de la
période d'incubation de son roman, une hésitation
manifeste entre de nombreux modèles possibles pour
Lafcadio. Tout d'abord, il y a les jeunes gens louches
que Gide rencontre à cette époque lorsqu'il rôde sur
les boulevards : Alexandre S., escroc et gigolo, pâle,
très beau, l'allure d'un Espagnol — Gide le rencontra
en 1898 et de nouveau en 1902, il avait alors dix-neuf
ans, l'âge de Lafcadio — ; ou Émile X., le fils d'un
tailleur avec lequel Gide fréquentait une piscine publique — la description que Gide fait de lui rappelle la
photographie du jeune homme nu que Julius trouve
sur la cheminée de Lafcadio. Et le *Journal* évoque aussi
d'autres personnages plus importants et encore plus
imprécis : M. en 1905, Armand en 1909, et d'autres
dont le nom n'est qu'une simple lettre. C'est parmi eux
qu'il faut situer la source cachée qui permit la créa-

tion *con amore* [1] de Lafcadio. En dehors de la vie
intime de Gide, d'autres personnages apparaissent, font
quelques gestes ou disent quelques phrases qui appartiennent à Lafcadio, puis disparaissent. En juin 1904,
le sinistre jeune héros [2] de la « Conversation avec un
Allemand » de Gide, vient le voir dès sa sortie de prison
et lui dit : « L'action, c'est cela que je veux ; oui, l'action la plus intense... jusqu'au meurtre ». Et Gide,
embarrassé mais subjugué, réplique : « Non, l'action
ne m'intéresse point tant par la sensation qu'elle me
donne que par ses suites. J'ai peur de limiter par ce
que je fais, ce que je pourrais faire. J'aime mieux
faire agir que d'agir ». En mai 1905, l'ardent futuriste
Marinetti lui rendit visite « et employa des amabilités
si incroyables qu'elles me forçaient de partir sitôt après
pour la campagne ; si je l'avais revu, c'en était fait de
moi ; j'allais lui trouver du génie ». Et dans le train
en compagnie de Fleurissoire, Lafcadio, en songeant à
« quelque belle catastrophe tout imprégnée d'horreur,
(où l'on) foutra l'imprimé par-dessus bord », fait écho
aux déclarations anti-littéraires du manifeste futuriste
de Marinetti paru en 1909. Quant aux antécédents de
Lafcadio, ils ressemblent beaucoup à ceux de Guillaume
Apollinaire, que Gide découvrit en 1908. Le vrai nom
d'Apollinaire était Kostrowitzky (voir le Roumain
« Wluiki »), comme sa mère, une Polonaise de naissance
aristocratique. Selon les uns ou les autres, son père

1. Cocteau reconnut — il avait de bonnes raisons sans doute —
que leur jeune ami commun, le mystérieux et équivoque Arthur
Cravan, avait servi de modèle à Lafcadio et à la visite de Julius
dans la chambre de celui-ci.
2. Une note du *Journal*, 18 janvier 1932, révèle qu'il s'agissait
de Félix-Paul Grève, le traducteur de Gide en allemand.

inconnu était le frère de l'évêque de Monaco, l'évêque lui-même ou encore un petit-fils de Napoléon. Enfin, Lafcadio possède quelques traits de Lautréamont, le terrible auteur des *Chants de Maldoror*, et de Rimbaud, dont Gide lisait les œuvres en novembre 1905. Rimbaud emploie parfois des phrases pareilles à celles de Lafcadio : « Quittons l'Europe en imprimant notre talon sur le sol ! » Lafcadio partait pour Bornéo, Rimbaud s'en fut à Java.

Hormis Carola et Protos, tous les personnages des *Caves du Vatican* appartiennent, par le sang ou par alliance, à la même famille. A l'époque où l'idée de « famille » signifiait pour Gide la force de répression et de déformation des enfants par les parents, il avait fait pousser ce cri à Ménalque : « Familles, je vous hais ». Lorsque, de par l'âge et la fortune, il devint le chef de sa propre famille, de ses beaux-parents, neveux et nièces, son point de vue se modifia. A Cuverville, il aimait réunir autour de lui ceux qu'il appelait « mes gens » et il devint un tuteur et un second père pour ses neveux, Jacques et Dominique Drouin, et ses nièces, Nicole et Françoise Gilbert. Le sens de la famille est l'un des principaux éléments de cohésion de son roman, l'une des sources les plus importantes des émotions qui présidèrent à sa composition. Si nous connaissions davantage la vie des Drouin et des Gilbert pendant les années 1900, nous pourrions peut-être mieux comprendre ce que les Baraglioul, les Fleurissoire et les Armand-Dubois signifiaient pour Gide. Mais il est peut-être utile de noter que les Gilbert, à l'exemple des Fleurissoire, vivaient à Pau ; que Nicole et Françoise Gilbert avaient le même âge que les filles de

Julius, Geneviève et Véronique ; et que la pieuse comtesse de Saint-Prix porte le même prénom que Valentine Gilbert. En 1911, Valentine, veuve, devint avec l'aide de Francis Jammes la première catholique de la famille depuis plus de cinquante ans.

Parmi les fondements de la famille — et les fondements sont toujours cachés — on trouve, chose importante, l'inceste, le fratricide et l'illégitimité. Il ne faut pas oublier que Julius, qui, plus d'une fois, est sur le point d'éprouver un sentiment plus que fraternel pour Lafcadio, est son demi-frère ; que Fleurissoire, que Lafcadio tue, est son beau-frère ; et que Geneviève, avec laquelle il couche, est sa nièce. Chose plus importante encore, Lafcadio est un enfant illégitime : « Vous ne serez jamais qu'un bâtard », lui dit son père mourant.

Pour Gide, le bâtard est un cas particulier et idéal de l'homme libre. Le rôle des parents est de nous inculquer un sens moral, de remplacer en nous une personnalité encore inexistante par un type social générique. A partir de là, nos motivations sont conventionnelles et nous sont imposées de l'extérieur ; nous sommes incapables d'une action proprement individuelle. Mais le bâtard, selon la théorie ironique mais instructive de Gide, n'ayant pas de parents et n'héritant d'aucune motivation toute faite, conservera sa personnalité. Ainsi, il jouira de ce qui, dans le paradoxe de Gide, est la forme de liberté la plus haute et la plus rare : il sera capable d'un acte gratuit !

Gide lui-même croyait-il à l'acte gratuit ? Probablement pas, car il en nie souvent l'existence et en discute par la bouche de personnages ridicules, tels que le philosophe Alexandre dans *Paludes*, le garçon dans

Le Prométhée mal enchaîné, et l'ineffable Julius. S'il y croit, ce n'est pas comme à un fait mais comme à un fabuleux absolu, à un concept moral et esthétique qui ne serait pas valable en lui-même, mais indiquerait la voie vers de nouvelles découvertes. L'acte gratuit est comme la flèche d'un instrument scientifique qui indique un chiffre extraordinairement élevé — la chose est importante non parce qu'elle est vraie mais parce qu'elle exige une explication. Lafcadio démontre la faillite de l'éthique newtonienne.

L'acte gratuit est un symbole : philosophiquement parlant, de liberté ; moralement, d'expression spontanée de la personnalité entière ; psychologiquement, du jaillissement de l'inconscient. Ces trois aspects correspondent aux esquisses de la gratuité par Bergson, Nietzsche et Dostoïevski, et tous les trois se retrouvent dans la défenestration de Fleurissoire par Lafcadio. Mais dès l'instant que nous examinons l'acte gratuit non plus comme une image féconde, mais comme une réalité, il se désagrège en sophismes. Si un acte vraiment sans motif était possible, comme il le serait pour un homme atteint d'une lésion au cerveau, cet acte n'aurait aucun sens — pour avoir une signification, il faut qu'il ait une cause signifiante — et de ce fait il cesserait d'être gratuit ! Et sur le plan esthétique, si le romancier doit convaincre le lecteur qu'un acte gratuit a été commis, il lui faut rendre la chose vraisemblable en avançant un motif — et là encore la gratuité s'évanouit. Un acte gratuit n'est pur que dans la mesure où il demeure mystérieux.

« Un acte gratuit », dit le garçon dans *Le Prométhée mal enchaîné,* « n'est motivé par rien. Comprenez-

vous ? intérêt, passion, rien. L'acte désintéressé ; né de
soi ; l'acte aussi sans but ». Et le Millionnaire, qui
est Dieu tout puissant, affirme : « Moi seul, celui-là
seul dont la fortune est infinie peut agir avec un désin-
téressement absolu ; l'homme pas ». Mais même Dieu-
le Millionnaire, dont l'acte gratuit est la fameuse gifle
et le billet de banque, n'est pas parfaitement désintéressé : il agit, avoue-t-il, par amour du jeu, pour voir
comment l'humanité réagira. Et l'acte de Lafcadio, un
simple mortel, a ses causes secrètes. Il ne les connaît
pas et attribue son geste, comme Zeus-le Millionnaire,
à la curiosité et à l'amour du risque, et Gide ne les
précise pas, mais elles sont assez claires. La naissance
illégitime de Lafcadio a fait de lui un ennemi de la
société. Il a dans le même instant trouvé et perdu son
père ; son héritage de quarante mille francs de rente
en argent inutile n'est qu'une dernière moquerie. Son
besoin inconscient de la reconnaissance et de l'amour
paternel — il va de soi qu'il s'est déjà trop engagé
pour savoir qu'en faire s'il y parvenait — s'est trans-
formé en un besoin de revanche également inconscient. Avec le bourgeois falot qu'est Fleurissoire, c'est
la société qui l'a rejeté qu'il pousse par-dessus bord.
Les deux grands « actes gratuits » de Dostoïevski auxquels celui de Lafcadio est apparenté ne sont, en vérité,
pas moins motivés. Raskolnikov assassine la vieille
usurière pour prouver sa supériorité morale (comme
Fleurissoire, celle-ci symbolise la société), et Kiriloff,
dans *Les Possédés*, se tue parce que, dit-il, un suicide
sans motif est l'acte suprême de volonté qui peut faire
de l'homme un Dieu : et là se trouve précisément son
motif. Quand, par la suite, Gide en vint à analyser le

suicide de Kiriloff dans son *Dostoïevski,* il précisa que
« cet acte, pour être gratuit, n'est pourtant point
immotivé » et il redéfinit « gratuit » par « sans motivation extérieure ». En rétablissant ainsi la logique de
l'acte gratuit, il le dépouilla de sa signification mystique ; il en fit une énigme possédant une solution, un
cas d'intérêt principalement psychologique.

Il n'est guère nécessaire de préciser que *Les Caves
du Vatican* sont, au sens le plus gidien du mot, une
œuvre ironique, et Gide lui-même la jugea telle dans
la préface qu'il écrivit, puis qu'il écarta à la correction
des épreuves : « Pourquoi j'appelle ce livre Sotie ?
Pourquoi Récits les trois précédents ? C'est pour mani-
fester que ce ne sont pas à proprement parler des
romans... Il m'apparaît que je n'écrivis jusqu'aujour-
d'hui que des livres *ironiques* (ou critiques, si vous le
préférez), dont sans doute voici le dernier ». Le reclas-
sement *post factum* de ses livres a toujours été une
pierre d'achoppement pour ses admirateurs et une
chausse-trape pour les critiques hostiles. Si, dans quelque sens mystique, ces derniers ont insinué que les
premiers romans de Gide n'étaient pas du tout des
romans, il suffirait donc de démontrer que *Les Faux-
Monnayeurs* n'en sont pas un non plus pour prouver
que Gide n'est pas un romancier ! En vérité, *L'Immoraliste, Les Caves du Vatican* et les autres sont des
romans au sens courant de ce mot. Même *André Walter,*
en dépit de sa forme de journal, est un roman au même
titre que, disons, *Obermann.* Le véritable intérêt du
paradoxe de Gide réside dans la conception élargie
qu'il a de sa vocation. Après sa redécouverte de
Dostoïevski et de Stendhal, un roman n'était plus pour

lui une chose compacte et parfaite, comme *Dominique*[1] ou *La Porte étroite*, mais une chose complexe, énorme, comme *La Chartreuse de Parme* ou *Les Possédés*; et il souhaitait que sa plus grande œuvre fût jugée selon ces critères.

Les Caves du Vatican marquèrent les adieux de Gide à l'œuvre ironique-critique en tant que forme d'art. Mais le rire et le contre point entre la signification apparente et réelle demeurèrent des constantes de son œuvre. Il ne cessa jamais d'être ironique au sens le plus socratique de ce mot. En ne précisant pas ses intentions, Gide poussait le lecteur à n'être pas un simple spectateur, mais à explorer et à découvrir par lui-même le sens caché de ses œuvres. Entre-temps, en abandonnant cette préface, il confia *Les Caves du Vatican* à la génération suivante et laissa les critiques de son temps croire qu'il préconisait de jeter hors du train les vieux messieurs inoffensifs.

Le roman avait tiré son épisode central d'un incident qui s'était produit dans un compartiment de train, et c'est dans le même décor qu'il allait connaître une apothéose bouffonne. Le 7 janvier 1930, Gide revenait de Toulon à Paris en compagnie de Jacques de Lacretelle. A la table de l'autre fenêtre, couverte de fleurs, se trouvait un couple de jeunes mariés. Le jeune homme lisait *Les Caves du Vatican*; c'était la première fois que Gide voyait un étranger lire un de ses livres. « Allez-y », lui dit Lacretelle, « Nommez-vous. Allez-y d'une dédicace ! » Mais pour cela il eût fallu que Gide

1. *La Porte Étroite* doit presque autant de son intrigue, de son style et de son atmosphère à *Dominique*, de Fromentin, qu'à la vie de Gide.

fût assuré que l'inconnu aimait le livre. Soudain, le
jeune homme sortit un canif. Mon Dieu ! Allait-il,
comme Lafcadio, se l'enfoncer dans la cuisse ? Non,
pire encore, il parut vouloir taillader le livre et Lacretelle fut pris d'un fou rire. Précautionneusement, le
jeune coupa les fils du brochage, détacha la partie qu'il
avait lue et la tendit à sa jeune épouse, puis tous deux
se plongèrent dans leur lecture.

CHAPITRE VII

ARMAGIDON

LA MARCHE TURQUE, NUMQUID ET TU ?
SI LE GRAIN NE MEURT,
LA SYMPHONIE PASTORALE, CORYDON

> « Si vous étiez aveugles, vous n'au-
> riez point de péché. »
>
> Saint Jean, IX, 41. (Cité dans *La
> Symphonie pastorale*.)

En avril et en mai 1914, Gide fit un voyage en Turquie avec Ghéon et Mme Mayrisch, une riche protectrice des arts. Fait caractéristique, il laissa son roman paraître en son absence. Le journal qu'il écrivit de ce voyage fut publié dans la *N. R. F.* sous le titre *La Marche turque*. Ce titre, en plus de son sens évident, contient l'un des deux jeux de mots musicaux de Gide, sur Beethoven : l'allusion à la marche turque dans la suite *les Ruines d'Athènes*. A certains moments, il s'était senti proche d'une extase qui lui aurait rappelé la Tunisie de sa jeunesse, mais la désolation du pays et la laideur de ses habitants changea son attente en dégoût. L'heure de renier son renoncement aux voyages

n'était pas encore venue. Ici et là, il nota des prépa-
ratifs de guerre, mais sans y voir autre chose que
l'annonce d'un conflit dans les Balkans. Il battit en
retraite vers la Grèce et, sur le bateau qui l'emmenait
au Pirée, il se récita les *Stances à Hélène*, de Poe. Il
écrivit alors : « A présent je sais que notre civilisation occidentale (j'allais dire : française) est non point
seulement la plus belle ; je crois, je sais qu'elle est la
seule — oui, celle même de la Grèce, dont nous sommes les seuls héritiers ». Ceci est une des premières
manifestations de la renaissance de son amour du
classicisme, longtemps assoupi — classicisme grec et
français —, qui s'accrut durant la seconde moitié de
sa vie, et atteignit son sommet dans *Thésée*.

A son retour, il nota : « Me répéter chaque matin
que le plus important reste à dire, et qu'il est grand
temps ». Il se faisait reproche de s'accorder un répit
pour étudier son piano et de se distraire ainsi de son
travail. Pourtant, un obstacle plus grand allait survenir.
Le 28 juillet, il se trouvait sur le quai de Dieppe d'où
il allait prendre le bateau pour rejoindre Valery
Larbaud en Angleterre, lorsque les journaux annoncèrent l'imminence de la guerre. Son voyage allait être
repoussé de quatre ans. Aussitôt, il regagna en toute
hâte Cuverville afin de veiller à la sécurité de sa femme.
Puis, après lui avoir demandé de réciter le *Notre Père*
à ses côtés (« J'ai fait cela pour elle, et mon orgueil a
cédé sans peine à l'amour »), il se rendit à Paris « pour
chercher ce que nous pouvons faire ». Quelle ressemblance avec ce que sera l'automne de 1939 pour une
autre génération ! Il y a un orage pareil à un bombar-
dement ; il y a de longs jours d'une merveilleuse

lumière et « l'air est plein d'une angoisse abominable ». Gide déclare alors à Charles du Bos : « Le
devoir d'un écrivain pendant la guerre, c'est de ne pas
écrire ». Et pendant dix-huit mois il respectera cette
obligation négative, mais néanmoins héroïque. Le rôle
des jeunes était alors de fournir les combattants et
d'endurer ; celui des vieillards d'organiser les souffrances de la guerre ; les gens entre deux âges, eux, ne
pouvaient que soulager ces souffrances. Aux mois
d'août et septembre, Gide travailla pour la Croix-Rouge
à Paris, puis, avec Jean Schlumberger, dans un petit
hôpital de convalescence à Braffy. La poussée allemande parut menacer Cuverville. Gide y retourna et
expédia en sûreté les femmes et les enfants des familles
Drouin, Gilbert et Copeau. Puis il attendit l'invasion
avec sa femme jusqu'à ce que l'offensive ennemie bifur-
quât vers Paris et fût stoppée par la bataille de la
Marne. En octobre, il devint assistant directeur du Foyer
Franco-Belge, un organisme de secours pour les réfugiés belges. Il travailla là « dévoré de sympathie »
jusqu'en février 1916, avec Mme Théo van Rysselberghe,
sa plus ancienne et plus fidèle amie. Puis, écarté par
un « coup d'État » au sein du foyer, écœuré par la
stupidité sans fond de la guerre, il se retira à Cuverville pour y cultiver son jardin. Il observa son vœu de
silence en ne publiant rien pendant la guerre, mais
se remit à écrire cependant. Son grand roman commençait à s'ébaucher et il composa les œuvres qui
l'en séparaient encore.

Le 3 avril 1915, Pierre Dupouey, un ami de Gide
récemment converti au catholicisme, était mort au front
en laissant à sa femme des lettres d'une merveilleuse

ferveur religieuse. Ce testament de la grâce de cet ami
rouvrit la vieille blessure faite à Gide par les assauts
de Claudel et convertit en janvier 1916 Ghéon, le
compagnon de Gide lors de ses randonnées sur les
boulevards vers la fin des années 90. Une nuit, Gide
rêva qu'il avançait avec Ghéon dans une étroite vallée
boisée et enchanteresse, jusqu'à ce que ce dernier fît
halte et déclarât, montrant son rosaire : « Pas plus
loin ! Désormais entre nous il y a *cela* ». Le lendemain, Gide lut la parole terrible de saint Jean : « Si
quelqu'un ne demeure pas en moi, il est jeté au dehors
comme le sarment, et il sèche ; puis on ramasse les
sarments, on les jette au feu, et ils brûlent », et il
écrivit avec angoisse : « Vraiment, n'étais-je pas
« jeté au feu », et déjà en proie à la flamme des plus
abominables désirs ? » La conversion de Ghéon survint en un temps où Gide était épuisé par sa tâche
auprès des réfugiés belges, dégoûté par la guerre, et
peut-être subissait-il les premières angoisses d'une
étrange affaire sentimentale que nous examinerons plus
loin. De plus, sa femme, innocemment, mais contraire-
ment à ses habitudes, ouvrit et lut une lettre de Ghéon
dans laquelle l'ami sanctifié faisait allusion aux plaisirs
interdits qu'ils avaient si longtemps partagés, et jusque récemment. Mme Gide n'avait-elle rien soupçonné
auparavant, comme Gide le crut jusqu'à son veuvage
en 1938 ? ou avait-elle toujours su, mais gardé le
silence, comme il le conclut alors ? Quoi qu'il en fût, à
présent elle savait. « Il y a tout à revoir, tout à reprendre, tout à rééduquer en moi », écrivait-il, harassé et
surmené. Durant toute l'année 1916, il connut une crise
morale et religieuse qui fut pour lui « la nuit sombre

de l'âme ». Tout ce temps, il alla du remords et du
dégoût de lui-même à des périodes de calme méditation. Ce fut principalement pour ces dernières qu'il
réserva un journal à part qu'il appela *Numquid et tu...* ?

Ces mots sont extraits de saint Jean, VII : « Vous
aussi, vous êtes-vous laissé séduire ?... Toi aussi, es-tu
Galiléen ? » Ces questions, avec tout ce qu'elles conte-
naient et ce qu'il leur ajoutait d'ambiguïté, Gide
sentait qu'elles s'adressaient personnellement à lui.
Parce qu'il répond à toutes leurs significations possibles, il demeure quelque chose de cette ambiguïté
latente derrière l'exquise simplicité de ses réponses ;
et le catholicisme reçoit le contre coup de tous les
efforts qu'il fait pour atteindre la pureté des Évangiles.
« Il ne s'agit pas tant de croire aux paroles du Christ
parce que le Christ est Fils de Dieu », fait-il observer,
« que de comprendre qu'il est Fils de Dieu parce que
sa parole est divine ». Et lorsqu'il cite saint Jean,
VII, 53 : « Puis chacun rentre dans sa maison », il
s'écrie : « Seigneur ! celui qui vient à vous n'a plus
de maison » : c'est la vérité que Claudel et le frère
aîné ont niée et que le fils prodigue était trop épuisé
pour soutenir. Toutefois *Numquid et tu...* ? n'attaque
le catholicisme et le claudélisme qu'incidemment :
« L'Évangile est un petit livre tout simple qu'il faut
lire tout simplement. Il ne s'agit pas de l'expliquer,
mais de l'admettre ». Et en retour de cette humilité et
de son horreur de la « rouillure affreuse du péché »,
il constate que les vérités qu'il avait découvertes lui-
même étaient déjà annoncées dans l'Évangile. Le sommet de l'individualisme dans le renoncement, le devoir
pour l'homme d'être heureux, l'éternité et le Royaume

de Dieu en ce monde, « fruition paradisiaque de tout instant », tout y était. Il regarda par la porte étroite et vit, dans une vérité qu'il pouvait accepter les yeux ouverts, un bonheur aussi grand que celui que Ghéon avait trouvé dans sa plongée aveugle dans le large abysse de l'Église ! Gide mit dans ce livre une ardeur fervente, une beauté d'expression rarement égalées en littérature française depuis Pascal.

En juin l'inévitable mouvement de retraite se produisit : la date coïncide avec le premier différend important avec sa femme qu'il ait noté dans son *Journal*[1]. Il s'écrie : « J'étais heureux ; vous avez abîmé mon bonheur, Dieu jaloux, Vous avez empoisonné d'amertume toutes les sources où je me désaltérais ». Sa ferveur est, après tout, moindre que dans *Les Nourritures terrestres*. Alors, il cherchait Dieu en toutes choses, dans la première grenade aperçue ; maintenant, face à face avec Lui, priant, suppliant, plaidant, il est plus individualiste que jamais. Il dialogue avec Dieu mais ne se confond pas en Lui. Et, finalement, fortifié d'avoir goûté à la grâce, il est de nouveau libre. « Ma pensée, c'est quand elle était la plus hardie qu'elle était la plus véritable... Que ne suis-je demeuré entier et toujours obstiné dans ma ligne ! » Gide ne publia ce livre qu'en 1926 et il écrivit dans la préface : « Ces pages, sans doute les signerais-je encore aujourd'hui de tout mon cœur, mais si, sans doute, je les signerais encore, je ne les écrirais peut-être plus ».

Gide eut toujours l'habitude, dans chacune de ses œuvres capitales, de suivre une voie opposée à celle qu'il avait suivie dans la précédente et qu'il suivrait

1. Causé par la lecture qu'elle fit de la lettre de Ghéon.

dans la prochaine — d'écrire *Les Nourritures* après *Paludes*, *La Porte étroite* après *L'Immoraliste*. Mais au cours de cette année de méditations religieuses, il écrivit simultanément deux livres de caractère opposé. En mars 1916, un mois après avoir commencé *Numquid et tu...?*, il entreprit la rédaction de ses mémoires. Cette histoire de son émancipation, c'était aussi celle de son amour pour sa cousine, le « mystique orient » dont la force centripète lui avait permis d'équilibrer la liberté par la contrainte, la prodigalité par le retour. Il indiqua ce thème, le moins apparent mais non le moins important, de son autobiographie par le choix de son titre : *Si le grain ne meurt*, tiré d'un texte qu'il avait déjà cité dans *Numquid et tu...?* : « Si le grain de blé tombé en terre ne meurt pas, il demeure seul ; mais s'il meurt, il porte beaucoup de fruits ». L'enfant qu'il avait été était mort quand il s'était libéré de sa mère et était tombé malade à Biskra ; sa mort avait porté beaucoup de fruits, y compris *Les Nourritures terrestres*. Et en substituant sa cousine à sa mère, il retrouva la vertu et le sentiment du devoir, qui avaient entravé son enfance et qui venaient maintenant apporter de nouvelles limites à sa liberté. *Si le grain ne meurt...* s'achève sur la mort de sa mère et ses fiançailles avec Madeleine Rondeaux.

Nombreux sont ceux qui estiment qu'avec *Si le grain ne meurt...* Gide a écrit son plus beau livre. En ce cas, ce ne fut pas intentionnellement, car le but de l'auteur était de marquer l'une des étapes qui allaient préparer la voie de son roman. Mais ses mémoires sont, après les *Confessions* de Jean-Jacques Rousseau et les *Mémoires d'Outre-Tombe* de Chateaubriand, la plus belle autobiographie de la langue française. On ne peut guère ici parler d'influence, mais, par affinité, l'œuvre de Gide évoque irrésistiblement celle de Rousseau. Tous deux possèdent le charme délicieux et la santé des eaux vives, mais là où Rousseau est pareil au jaillissement d'une source intarissable, Gide ressemble davantage à ces canaux d'irrigation qui l'avaient enchanté dans les vergers de Biskra. D'un côté, nous pouvons préférer l'indiscipline romantique de Rousseau allant de la sensibilité à la paranoïa, de l'autre, la beauté classique et canalisée de Gide : Rousseau est débordant, Gide est élégamment contrôlé. Les qualités formelles que, dans un moment d'abattement, Gide déplora dans son livre qu'il qualifia de « concerté, subtil, sec, élégant, fané [1] » sont en fait parfaitement appropriées. Alors que Rousseau avait mené son récit jusqu'au cœur de la nuit obscure, Gide, lui, s'arrêta à l'aube. Son sujet est l'univers merveilleux du génie de l'enfance : sous le couvert d'une idylle, il se confessa.

Si le grain ne meurt est une confession. Rousseau se confessa à la postérité, Ghéon à un prêtre ; Gide, comme Raskolnikov, avoua sur la place publique de ses contemporains le crime qui l'avait fait grand. « Je n'écris pas ces mémoires pour me défendre, écrivit-il [2], je n'ai point à me défendre, puisque je ne suis pas accusé. Je les écris avant d'être accusé. Je les écris pour qu'on m'accuse. » Après *Si le grain ne meurt*, il n'éprouva plus le sentiment d'écrire sous de faux semblants ; lorsqu'il publierait son grand roman, le public saurait qui l'avait écrit. Et il reporta la parution de

1. *Journal*, 13 octobre 1916.
2. *Journal*, 19 janvier 1917.

Si le grain ne meurt, jusqu'en 1926, l'année où parut *Les Faux-Monnayeurs*.

En novembre 1917, Gide interrompit la rédaction de ses mémoires, juste avant d'en arriver à l'époque cruciale de sa renaissance à Biskra. Il n'y avait, il est vrai, aucune urgence, mais aussi ses rapports conjugaux étaient encore parvenus à une phase difficile et il est possible qu'il se soit arrêté pour ne pas heurter les sentiments de sa femme et aussi par reconnaissance pour sa patience. Déjà, en décembre 1916, lorsqu'il lui avait lu les premiers chapitres, il avait ressenti de « telles palpitations de cœur que, par moments, je suis forcé de m'interrompre ».

Il est étonnant que Gide ait conçu le projet de son court roman, *La Symphonie pastorale*, plusieurs années avant que se produisent dans son existence des événements ressemblant à son intrigue et qui lui inspirèrent la rédaction effective du livre [1]. Il fait mention de ce roman pour la première fois dans son *Journal* du 30 mai 1910. L'ouvrage devait s'appeler *L'Aveugle* et avoir pour sujet l'opposition entre le véritable christianisme et le catholicisme et le protestantisme à la fois. Il semble que ce ne soit pas avant janvier 1916 que Gide ait commencé, comme s'il vivait son roman encore non écrit, son aventure sentimentale avec Élisabeth, la fille de sa vieille amie Mme Théo van Rysselberghe. Un disciple de Freud ne manquerait pas de signaler que ce choix inconscient indique, de même que son

---

1. Il en avait même confié l'idée fondamentale — une jeune aveugle dont la cécité est une innocence qui la délivre de la morale conventionnelle de ceux qui voient — à Paul Laurens avant leur départ pour l'Afrique du Nord en 1893.

amour pour sa cousine, une attraction par une image
sœur très répandue chez ceux dont l'enfance a été
dominée par une mère autoritaire. En décembre 1916,
dans le train qui le ramène des funérailles de
Verhaeren, il lui glisse un billet pour lui dire qu'il
aimerait lui faire un enfant ; mais ce désir, simple badi-
nage alors, allait devoir attendre six ans avant de se
réaliser [1]. Leur attachement réciproque était né, comme
pour Paolo et Francesca dans Dante, au cours d'une
lecture en commun ; ou plus exactement, puisqu'il
s'agissait d'un livre de Browning, il conviendrait de
faire un rapprochement avec Pompilia et Caponsacchi
de *The Ring and the Book* ; et quand, le 22 juillet 1922,
Gide fit la lecture du monologue de Pompilia à la mère
et à la fille, il s'exclama dans son *Journal* : « L'abnégation ne saurait être poussée plus loin ». Cet événement contribua, tout autant que la conversion de
Ghéon, à l'inquiétude spirituelle qu'il éprouva cette
année-là. Ce fut peut-être une des causes de la « crise
terrible » de 1916 [2] dans ses relations avec sa femme.
Tout cela se refléta deux ans plus tard dans son roman,
qu'il commença le 16 février 1918 pour l'achever au
mois d'octobre suivant.

La Symphonie pastorale est le journal d'un pasteur
protestant suisse. Il est appelé au chevet d'une vieille
mourante et trouve là une jeune aveugle de quinze ans,
couverte de vermine et apparemment idiote. L'enfant
n'a jamais appris à parler et ne comprend pas le lan-
gage des autres. Sa figure est un masque d'hostilité et
d'indifférence. Sentant que « Dieu plaçait sur ma route

1. Jean Lambert, *Gide familier*, p. 91.
2. *Journal*, 15 septembre 1916.

une sorte d'obligation et que je ne pouvais pas sans
quelque lâcheté m'y soustraire », le pasteur emmène
l'enfant chez lui. Elle est, dit-il à sa femme, la brebis
égarée de l'Évangile, qui est plus précieuse que tout
le reste du troupeau. « Seigneur ! », demande-t-il dans
sa prière, « permettez-vous que mon amour écarte d'elle
l'affreuse nuit ? » Par « amour », il entend « charité »
et cette confusion verbale est à la source de la tragédie
qui va suivre.

Le pasteur enseigne à Gertrude à parler et à lire, et
se réjouit de la beauté et de la joie de l'âme qu'il
l'aide à retrouver. Il l'emmène à un concert à
Neuchâtel où l'on joue la *Symphonie pastorale* de
Beethoven. « Est-ce que vraiment ce que vous voyez
est aussi beau que cela ? » demande-t-elle ; et le pasteur
troublé ne peut répondre que : « Ceux qui ont des
yeux ne connaissent pas leur bonheur ». Mais tout n'est
pas harmonieux dans la symphonie de leur propre existence. La femme du pasteur ne peut approuver ce qui
lui paraît un excès de charité : « Tu fais pour elle ce
que tu n'aurais pas fait pour aucun des tiens », lui
dit-elle. Et lorsque le pasteur découvre que son fils
est amoureux de Gertrude et qu'il en avertit sa femme
en déclarant : « A son âge, est-ce qu'on connaît seulement ses désirs ? », celle-ci lui fait cette étrange
réponse : « Oh ! même plus tard on ne les connaît pas
toujours ». Il interroge Gertrude et il est soulagé de
l'entendre lui répondre simplement : « Vous savez bien
que c'est vous que j'aime ». Après avoir reproché à
Jacques de troubler l'innocence de la jeune fille, il
envoie celui-ci en voyage et, pour plus de sécurité, ins-
talle Gertrude chez une amie.

La cécité de Gertrude peut être guérie par une opéra-
tion. Avant de partir pour l'hôpital, elle déclare au
pasteur que leur amour est charnel. Le pauvre homme
succombe volontairement en partageant son absence
de culpabilité. Toutefois, Gertrude, ayant retrouvé la
vue, tombe amoureuse du beau visage de Jacques ; trop
tard, car celui-ci est devenu catholique et veut entrer
dans les ordres. Lorsque Gertrude voit le visage vieil-
lissant et empreint d'une vertu inquiète du pasteur,
elle tente de se noyer. « Quand j'ai vu Jacques », lui
avoue-t-elle au cours d'une dernière entrevue, « j'ai
compris soudain que ce n'était pas vous que j'aimais ;
c'était lui. Il avait exactement votre visage ; je veux
dire celui que j'imaginais que vous aviez... Quittons-
nous. Je ne supporte plus de vous voir. » Et elle meurt
cette nuit-là. « Mon père, dit Jacques, il ne sied pas
que je vous accuse ; mais c'est l'exemple de votre
erreur qui m'a guidé. » Le pasteur supplie sa femme
de prier avec lui ; elle accepte en récitant le *Notre
Père* comme Mme Gide l'avait fait à la déclaration de
la guerre en 1914. « J'aurais voulu pleurer mais je
sentais mon cœur plus aride que le désert. »

Le lieu et le temps de l'action sont intimement reliés
à Gide lui-même. C'est à La Brévine, dans les années 90,
qu'il termina *Paludes* et commença *Les Nourritures
terrestres ;* et ses impressions de Suisse avaient été
ravivées par une visite faite en août 1917 dans des
circonstances encore plus heureuses que le pasteur. En
1916, comme nous venons de le voir, un triangle s'était
formé dans la vie de Gide comme dans celle du pasteur.
Toutefois, la sévérité de la femme de celui-ci rappelle
moins la patiente et sensible Madeleine Gide que les

belles-sœurs d'André. Et la formation de Gertrude fait
songer à l'éducation donnée par Gide à ses neveux et
nièces, et dont leurs mères s'étaient parfois montrées
jalouses [1]. *La Symphonie pastorale* est, en partie, une
satire de l'éducation qui, si elle mène à cette profonde
relation spirituelle où elle peut faire le plus de bien,
corrompt à la fois le maître et l'élève. La controverse
théologique entre le pasteur et son fils, le Christ contre
Paul, utilise les mêmes textes et les mêmes arguments
que Gide contre Ghéon dans *Numquid et tu... ?* Gide
était parvenu à la même conclusion que le pasteur
qui écrit : « Est-ce trahir le Christ, est-ce diminuer,
profaner l'Évangile que d'y voir surtout *une méthode
pour arriver à la vie bienheureuse ?* » C'est ensuite
qu'ils divergent — à la découverte du fait que c'était
le diable (en qui, ne fût-ce que pour une métaphore
indispensable, Gide commençait à croire) qui avait,
depuis longtemps déjà, guidé leurs pensées. Pour le
pasteur, c'est une faillite spirituelle ; pour Gide, c'est
la constatation que le diable, si on a l'intelligence de
le comprendre sans en être la dupe, peut être un bon
professeur de morale et de psychologie. Ce *nouveau*
thème fut le principal des années 1916 à 1926 ; et *La
Symphonie pastorale* est une première expérience,
contrôlée et circonscrite, des méthodes et des succès
du diable. Tout comme Michel, Lafcadio et les autres,
le pasteur n'est qu'un aspect de la personnalité de

---

1. Cette éducation prit aussi comme modèle celle d'Hélène Keller,
dont l'autobiographie était parue en français en 1916. L'idée originale fut sans doute fournie à Gide en 1893 par la vie de Laura
Bridgman (1829-1889), l'Américaine aveugle, sourde et muette, dont
Gide fait mention dans son roman.

Gide, laissé libre de faire le mal et d'en tirer un enseignement que Gide ne pouvait pas suivre.

Gide fut indigné que les critiques pussent voir dans le pasteur un portrait de lui. « S'il m'arrive de peindre d'après moi », explique-t-il avec ambiguïté, « c'est que d'abord j'ai commencé par devenir celui-là même que je voulais portraiturer ». Son malheureux héros ressemble fort en effet à la moitié du portrait qu'il trace de lui-même dans son *Journal* du 22 juin 1907 : « Je ne suis qu'un petit garçon qui s'amuse — doublé d'un pasteur protestant qui l'ennuie ». Son déplaisir aurait peut-être été moindre si le pasteur n'avait pas été vu comme un malhonnête homme et un hypocrite. En réalité, c'est un homme que, puisqu'il n'a pas de vices, le diable tente par sa vertu capitale : la charité. Rien ne laisse supposer que son amour pour Gertrude, bien que possessif, serait devenu physique si elle ne l'avait séduit. En fin de compte l'ignorance du mal chez Gertrude, dont la cécité est un symbole, est plus dangereuse spirituellement que la conscience du bien chez le pasteur. Ce dernier applique mal à propos à Gertrude la parole du Christ aux Pharisiens : « Si vous étiez aveugles, vous n'auriez point de péché ». Aveugle, Gertrude est une Alissa ; douée de vision, c'est une Isabelle. Elle finit par se révéler une espèce de sorcière et ses dernières paroles sont d'une cruauté et d'un égoïsme abominables. La femme du pasteur porte aussi sa part de responsabilité dans cette tragédie. Sa vertu négative, desséchée (« Le seul plaisir que je puisse faire à Amélie, c'est de m'abstenir de faire les choses qui lui déplaisent », se plaint le pasteur), est plutôt pharisienne que chrétienne et son silence, alors que ses

paroles auraient pu sauver son mari et sa rivale, est
la revanche qu'elle accorde à sa jalousie. Le diable
triomphe, en fait, sur toute la ligne ; et bien que *La
Symphonie pastorale* paraisse rayonner de chaleur et
de joie, c'est en réalité le livre de Gide le plus sombre
et le plus dur. Son pessimisme est cristallisé dans la
cruelle ironie de son titre qui est le second jeu de
mots de Gide aux dépens de Beethoven ; « pastorale »
est l'adjectif qui dérive de pasteur ; la différence entre
la symphonie de Beethoven et celle du pasteur est la
même que celle qui existe entre la cécité innocente et
la vision coupable.

Une crise encore plus sérieuse, dans la vie conjugale de Gide, que les troubles inquiétants qui avaient
commencé en 1916, l'année précédant le début de *La
Symphonie pastorale*, atteignit son point culminant vers
la moitié du roman et eut son dénouement, après que
l'ouvrage fut achevé, dans un terrible châtiment que
le roman semblait avoir présagé. En mai 1917, et
Madeleine le devina tout de suite, naquit la joyeuse
et solide amitié de Gide avec le jeune Marc Allégret,
âgé de quinze ans, le fils de son ancien précepteur
qui avait été témoin à son mariage, le pasteur Élie
Allégret. Cette infidélité à son épouse, il le savait bien,
n'était rendue que plus douloureuse par la noblesse
morale et intellectuelle de son nouvel amour, si
totalement différent des innombrables libérations
sensuelles passées et à venir et qui, croyait-il, ne lui
enlevaient rien [1]. Cet amour fit injure à sa femme non

1. « Les rencontres fréquentes, impulsives, brèves et sans suite,
que ma nature m'obligeait à rechercher sans cesse, ne pouvaient
en rien atteindre, altérer, l'intégrité du don que je lui avais fait
de tout mon cœur », déclara Gide à Roger Martin du Gard en 1920

parce qu'il était physique, mais justement parce qu'il était spirituel ; pour la première fois, il parut à Madeleine que Gide lui reprenait le don inaliénable de son âme. En juin 1918, il partit avec Marc passer l'été et l'automne en Angleterre. « Tu ne pars pas seul, n'est-ce pas ? » lui demanda-t-elle. « Non... », répondit-il avec hésitation. « Tu pars avec Marc ? » — « Oui. » — « Ne dis rien. Ne me dis plus jamais rien. Je préfère ton silence à ta dissimulation. » Dans un effort désespéré pour se justifier, ce qui, comme le pasteur, le rendit insensible à la cruauté de ses paroles, il lui écrivit qu'il lui fallait partir parce qu'il « pourrissait » à Cuverville ; et elle, passagèrement plus généreuse que la femme du pasteur, lui répondit afin qu'il se sente parfaitement libre : « J'ai eu le meilleur de ton âme, la tendresse de ton enfance et de ta jeunesse. Et je sais que, vivante ou morte, j'aurai l'âme de ta vieillesse ». Les choses en seraient, en effet, ainsi. Mais quand Gide eut terminé *La Symphonie pastorale* à Cambridge, le 18 octobre, la jeune aveugle innocente était devenue non seulement une expression d'Elisabeth van Rysselberghe, mais aussi de Marc Allégret ; et la fin du roman annonçait le désastre qui l'attendait à Cuverville. Car la vraie tragédie de *La Symphonie pastorale* n'est pas la mort de Gertrude, mais celle de l'amour d'Amélie pour son mari le pasteur.

Peu après son retour, il reprit la rédaction de *Si le grain ne meurt* et demanda à sa femme les lettres qu'il lui avait écrites dans sa jeunesse et lors de ses nombreuses absences depuis son mariage. Elle les avait toutes brûlées. « Avant de les détruire, lui dit-elle, je les ai toutes relues, une à une. C'était ce que j'avais de plus précieux au monde. » Les torts que Gide avait eus

envers elle étaient grands, certes, mais ils étaient nettement contrebalancés par cette cruelle vengeance. Gide
fut atterré (et l'on a sévèrement blâmé cette attitude) par la perte de ce qui lui paraissait la plus pure
et la plus noble de ses œuvres, de cette source indispensable pour son autobiographie, qui devrait désormais s'arrêter définitivement à leurs fiançailles. Toutefois son chagrin était causé, avant tout, par le fait que
Madeleine lui ôtait son amour et refusait le sien. Leur
amour réciproque était la vérité la plus profonde de
sa vie et de celle de sa femme ; cet amour existait
toujours, conscient chez lui, inconscient chez elle.
L'aliénation provoquée par cet acte symbolique de
meurtre et de suicide fut d'autant plus tragique qu'il
était unilatéral et faux. Si nous voulons juger équita-
blement ce drame humain, nous devons nous rappeler
que l'égoïsme et la faiblesse morale ne furent pas le
seul fait de Gide et que Mme Gide lui fit largement expier
l'angoisse qu'il lui avait causée.

Gide dit de *La Symphonie pastorale* qu'elle était
« ma dernière dette envers le passé », mais deux livres
étaient encore nécessaires pour préparer la voie à son
grand roman. Il acheva *Si le grain ne meurt* au début
de 1919 et *Corydon* était déjà écrit. Il tenta de lire ces
deux ouvrages à sa femme. « Ce n'est pas le livre que
tu crois », lui assura-t-il à tort à propos de *Corydon*.
Mais bientôt il déclara : « Je n'ai plus la force de
continuer », et elle lui répondit : « Je crois que c'est
inutile ». La moitié de *Corydon*, il est vrai, avait été
écrite pendant l'été de 1910 et imprimée l'année suivante à compte d'auteur, anonymement, à douze
exemplaires. Toutefois, ce ne fut qu'en décembre 1917

que Gide reprit ce texte qu'il acheva en juin 1918 et qu'il fit de nouveau imprimer à compte d'auteur en 1920, avant de le livrer au public en 1924. Ce fut Marcel Drouin qui, voyant dans ce livre l'indice d'une obsession et une menace pour la carrière de son beau-frère, le persuada d'observer ce délai. Gide, au contraire, affirma que son livre traitait un problème qui ne le troublait plus, parce qu'il lui avait trouvé une solution pratique, et il déclara : « Je ne crois pas tenir beaucoup à rien de ce que mon livre m'enlèvera ». La citation d'Ibsen dans sa préface : « Les amis sont dangereux non point tant par ce qu'ils vous font faire, que par ce qu'ils vous empêchent de faire », s'adresse précisément à Drouin.

Le titre seul suffirait à éclairer le sujet de *Corydon* pour un Français. Dans la pastorale anglaise, Corydon est faussement lié à une bergère. En France, le nom est presque un terme technique et l'allusion du premier vers de la seconde bucolique de Virgile est fort bien comprise : « Pour le bel Alexis, Corydon, un berger, brûlait d'amour ». *Corydon* est un traité sur la légitimité, la salubrité et l'opportunité de l'homosexualité.

Le narrateur, un hétérosexuel militant (comme il dit « je », le lecteur non averti risque de le prendre pour Gide) a été troublé par le scandale d'Eulenburg en 1907 et va rendre visite à Corydon, médecin et homosexuel, par désir impartial d'entendre la partie adverse. Fait providentiel, Corydon est justement en train d'écrire un livre sur ce sujet et il en discute le contenu avec son ami en quatre dialogues hautement socratiques qui s'étendent sur quatre journées consécutives. Il démontre que ce qu'on appelle par convention « un vice contre nature » est naturel et, de plus, une vertu. En se basant sur l'entomologie, la biologie et la zoologie, il élabore une théorie darwinienne sur la nécessité évolutive de l'homosexualité. A partir de la sociologie, il démontre que la lamentable prédominance de l'hétérosexualité est due, principalement, aux forces déformantes de l'éducation et du conformisme et que les homosexuels font des maris et des pères excellents. Comme le disait La Rochefoucauld : « Il y a des gens qui n'auraient jamais aimé s'ils n'avaient entendu parler de l'amour ». Pour finir, il recourt à l'histoire afin de prouver que les époques d'uranisme, Grèce classique et Renaissance, étaient les plus saines sur le plan de l'art et de la moralité ; et que l'amour exclusif des femmes est un symptôme de décadence dans les arts, l'État et la famille. Fort heureusement, il n'y eut pas de cinquième journée de discussion, car on aurait pu craindre que Corydon condamnât l'homme normal à des séjours prolongés dans la geôle de Reading. Son interlocuteur se retire « bien assuré qu'à de certaines affirmations un bon silence répond mieux que tout ce qu'on peut trouver à dire ».

Un critique de Gide [1] fit observer : « Ce n'est pas très fort... ». Heureusement, la lecture de ce livre a plus d'intérêt que son résumé et ses démonstrations sont nettement supérieures à ses conclusions. « Je ne veux pas apitoyer avec ce livre ; je veux gêner », déclara Gide. S'il s'était contenté, en effet, d'énoncer des idées troublantes, *Corydon* eût été un meilleur livre. Tel qu'il est, il démontre non seulement la

1. Paul Archambault dans *Humanité d'André Gide.*

normalité de l'uranisme, mais l'anormalité de l'hétérosexualité ; une société fondée sur *Corydon* substituerait la proscription des hétérosexuels à celle, également déplorable, dont les homosexuels sont actuellement l'objet.

Par la suite, Gide, à tort, regretta le ton ironique de *Corydon*. Ce livre réunit les deux genres favoris de Gide, la sotie et l'interview imaginaire. Comme toutes les œuvres que Gide qualifie de « critiques », *Corydon* est volontairement aussi comique que sérieux. Les conventions désuètes, il le savait, se fondent sur des tabous irrationnels qu'on renverse plus aisément par une satire exagérée qui incite le lecteur à penser par lui-même que par des arguments raisonnés. Les lecteurs anglais de *Corydon* apprécièrent peut-être mieux l'ironie déployée dans *Corydon* en comparant ce livre à un de leurs classiques, un roman qui démontre avec une extravagance similaire que le crime est un mal et le mal un crime, que la religion tend à être un système bancaire et le système bancaire une religion et que les machines sont vivantes et veulent anéantir le genre humain. En tant que satire, *Corydon* est analogue à *Erewhon* de Samuel Butler. Son ironie, plutôt que sa sincérité et son courage moralement admirables, fait de ce livre plus qu'un traité de propagande et d'amateurisme, lui donne de l'esprit, sa beauté formelle et mille et une possibilités d'entendement, et en fait une œuvre d'art. Pour cette ironie, *Corydon* n'est pas à classer avec *Retour de l'U. R. S. S.* mais avec *Paludes*.

CHAPITRE VIII

« MON PREMIER ROMAN »

LES FAUX-MONNAYEURS, DOSTOÏEVSKI,
JOURNAL DES FAUX-MONNAYEURS.

> « Nous sommes tous des
> bâtards. »
>
> *Cymbeline*, acte II, scène 5.

Enfin, le moment était venu d'écrire *Les Faux-Monnayeurs*. En misant délibérément contre le destin et l'approche de la vieillesse, Gide était allé jusqu'au bout de son programme qui était d'écrire d'abord tout le reste. « L'énormité de la matière informe m'oppresse », avait-il écrit en 1915, « je ne sais pas où m'en saisir et doute comment en arriver à bout ; ni si j'aurai encore la force ». Entre le 17 juin 1919, date à laquelle commença l'incubation active de son roman, et le 8 juin 1925 où il en écrivit les derniers mots, se situe un immense labeur de six années. Ce ne fut qu'en novembre 1921 qu'il écrivit les premières pages. Deux ans et demi s'étaient écoulés à lutter contre une œuvre qui tendait à se développer sans cesse ; comme une hydre, elle avait plusieurs têtes. Toutes les idées

que Gide avait combattues ou faites siennes y étaient
exprimées et amenées à une sorte d'équilibre dialec-
tique par l'incorporation de presque toutes les
personnes qu'il avait réellement aimées, observées, ou
auxquelles il s'était heurté. C'était, comme le déclara
son héros, « un carrefour de problèmes » ; c'était aussi
un carrefour de personnages. C'est l'union de la tension
et de l'aisance, d'une grande diversité avec la grâce
exquise et l'harmonie, qui fait des *Faux-Monnayeurs*
l'un des plus grands romans universels. Nous devrions
peut-être ajouter, puisqu'une telle évaluation se fait,
tacitement ou non, pour toute œuvre d'art d'importance, que *Les Faux-Monnayeurs* devraient venir en
dernière place sur toute liste des dix meilleurs romans
du monde [1] — et que par son style, sinon par sa force,
aucun des neuf précédents ne le surpasse.

Par un suffocant après-midi d'été, alors que toute la
famille est sortie, Bernard Profitendieu découvre de
vieilles lettres d'amour de sa mère qui lui apprennent
qu'il est l'enfant naturel qu'elle a eu d'un ancien amant.
Il écrit alors une lettre froidement insolente à son
père adoptif et quitte la maison pour passer la nuit
chez son camarade d'études, Olivier Molinier. Georges,
le plus jeune frère d'Olivier, surprend leur conversation.

Le frère aîné d'Olivier, Vincent, regrette une aventure qu'il a eue avec Laura Douviers, née Vedel, qui
est enceinte de lui. Dévoyé par Robert de Passavant,

---

1. Par exemple *Bouvard et Pécuchet, Les Possédés, A la Recherche
du temps perdu, La Guerre et la Paix, La Chartreuse de Parme,
Wuthering Heights, Moby Dick, Finnegans Wake, Eugène Onéguine,
Les Faux-Monnayeurs.* Le onzième ? *l'Ami commun.*

un riche dilettante qui espère par lui se rapprocher d'Olivier, Vincent abandonne Laura et devient l'amant de lady Lilian Griffith.

Édouard, l'oncle d'Olivier, un romancier, arrive d'Angleterre pour répondre à l'appel pitoyable de Laura, son ancienne élève qu'il a platoniquement aimée. Comme Passavant, il est attiré par Olivier — il a envoyé une carte postale à Pauline, la mère d'Olivier et sa demi-sœur, dans laquelle il précisait l'heure de son arrivée en espérant que celui-ci la lirait. Olivier ne manque pas d'aller à la gare, mais chacun dissimule trop bien la joie que lui procure cette rencontre et se méprend en voyant de l'indifférence dans l'embarras de l'autre. Édouard jette par distraction son billet de consigne qui est ramassé par Bernard, lequel s'approprie la valise où il trouve de l'argent pour son déjeuner et le journal d'Édouard.

Édouard, lit Bernard, qui avait longtemps cessé tout rapport avec Pauline, n'avait jamais vu ses neveux jusqu'à l'automne précédent quand il surprit un lycéen en train de voler un livre chez un bouquiniste et qu'il découvrit que son nom était Georges Molinier. Intrigué, il rendit aussitôt visite à Pauline et fit ainsi la connaissance d'Olivier. Ils se revirent encore à l'occasion du mariage de Laura avec Douviers, un honnête professeur de français à Cambridge. Le père de Laura dirige l'école où Olivier et Georges sont demi-pensionnaires. Édouard, chagriné de voir Armand, le frère de Laura, encourager sa sœur Sarah à flirter avec Olivier, était parti pour l'Angleterre. Le journal contient également la lettre de Laura et Bernard, fidèle à sa devise : « Si tu ne fais pas cela, qui le fera ? », se rend à l'adresse

indiquée, tombe amoureux et offre son aide. Surpris
par le romancier, le jeune homme ne se laisse pas
désarçonner et lui propose de le prendre pour secrétaire. Édouard rend visite à sa sœur dans l'espoir de
rencontrer Olivier, mais celui-ci passe la soirée chez
Passavant.

Abandonnant tout espoir au sujet d'Olivier, Édouard
emmène Bernard et Laura à Saas-Fée, en Suisse, où
l'a mandé son vieux professeur de piano, La Pérouse,
afin de veiller sur Boris, l'enfant naturel du fils de
ce vieillard. Olivier, se croyant dédaigné, se venge en
partant en Corse avec Passavant qui le prend comme
secrétaire.

Édouard est en train d'écrire un roman qui a précisément pour titre *Les Faux-Monnayeurs*. « Il attend que
la réalité le lui dicte » ; le thème en est « la lutte
entre ce que lui offre la réalité et ce que, lui, prétend
en faire. » Dans ce qui est peut-être la scène la plus
pénible du roman de Gide, Édouard explique ces *Faux-
Monnayeurs* à Bernard, Laura et Mme Sophroniska[1] (la
psychanalyste de Boris). Ceux-ci sont déconcertés,
ennuyés. La plus juste critique émane de Bernard qui,
comme Lafcadio mystifiait Julius par un véritable acte
gratuit, tire de sa poche une « vraie » pièce fausse
qu'on lui a passée le matin même. A la fin de l'été,
Laura retourne auprès de son mari qui lui pardonne,
tandis que Bernard et La Pérouse deviennent surveil-
lants, et le petit Boris pensionnaire, à la pension Vedel.

---

1. A Paris, en 1921, une éminente élève de Freud, Mme Sokolnicka,
donna des conférences hebdomadaires auxquelles assistèrent Gide
et le groupe de la *N. R. F.* Voir Georges Gabory, *Essai sur Marcel
Proust*, pp. 25-35.

Le jeune Georges a été le meneur d'une bande de
lycéens qui fréquentaient une maison close après la
classe. Les garçons ne savent pas que c'est le père
adoptif de Bernard, le juge Profitendieu qui, habile-
ment, a fait fermer par la police, pendant les vacances,
leur lieu de récréation, après avoir découvert que le
fils de son collègue Molinier était impliqué dans cette
affaire. Georges est mûr pour faire pire. Le terrible
Strouvilhou, ami de Passavant et ancien élève de la
pension Vedel, se sert d'un jeune cousin, Ghéridanisol,
un camarade de Georges, pour amener les lycéens à
écouler ses fausses pièces de dix francs.

Olivier va devenir le directeur de la nouvelle revue
littéraire de Passavant et il invite Édouard et Bernard
à la réception donnée pour fêter le premier numéro.
Pour la première fois, il voit la valeur de son oncle
bien-aimé confrontée à la médiocrité de ses nouveaux
amis. Pleurant de rage et de honte, il dit à Édouard :
« Emmène-moi ». Armand parvient à faire en sorte
que sa sœur Sarah passe la nuit auprès de Bernard.

Le lendemain, Olivier tente de se suicider et est
sauvé par Édouard. Désormais leur amour suivra un
cours tranquille. Édouard reçoit la visite de Pauline,
qui lui confie Olivier ; puis de Profitendieu qui le supplie d'intervenir auprès de Bernard pour que celui-ci
rentre à la maison. Tous deux lui demandent de mettre
en garde le jeune Georges, que Profitendieu sait
impliqué dans l'affaire de la fausse monnaie. Édouard
voit Passavant qui se prétend heureux d'être débar-
rassé d'Olivier. Passavant reçoit ensuite Strouvilhou
qui lui explique que sa politique pour sauver l'humanité
consisterait à faire disparaître les faibles.

Bernard est reçu au baccalauréat avec mention. Tout le jour il dispute et toute la nuit il lutte avec l'ange. « Le temps est venu de faire tes comptes », lui dit l'être céleste. Il ne couche plus avec Sarah, quitte la pension Vedel et prend la résolution de vivre en se dirigeant vers un but — mais quel but ? Édouard lui donne cette formule : « Il est bon de suivre sa pente, pourvu que ce soit en montant ».

Le roman d'Édouard comporte un passage où le romancier met en garde un jeune garçon qui ressemble à Georges, en lui faisant lire un passage de son livre où sont discutés la triste moralité et le sort d'un garçon tout pareil. Georges se montre ravi qu'Édouard le trouve assez intéressant pour faire de lui un de ses personnages.

Armand, qui a remplacé Olivier à la direction de la revue de Passavant, montre à son ami une lettre qu'il a reçue de son frère aîné, vivant en Afrique, et dans laquelle ce dernier raconte qu'il a recueilli un homme qui, après avoir assassiné sa maîtresse, se prend pour le diable. Ni l'un ni l'autre ne reconnaissent Vincent dans ce dément assassin, non plus que Lady Griffith dans sa victime.

Ghéridanisol transmet à Strouvilhou l'avertissement de Georges et le trafic de fausses pièces est interrompu. Georges et son ami persuadent alors le petit Boris de se soumettre à une épreuve de courage. Il doit tirer sur lui-même, en pleine classe, avec un pistolet dérobé à La Pérouse par Ghéridanisol et que celui-ci sait chargé, bien qu'il assure Georges du contraire. Boris se fait sauter la cervelle sous les yeux de son grand-père. Georges, horrifié, se réforme ; Bernard revient à

son père adoptif ; Édouard décide de ne pas inclure
la mort de Boris (il croit au suicide) dans son roman.
Invité à dîner par Profitendieu, il se réjouit à l'idée de
rencontrer Caloub, le plus jeune frère de Bernard.

Les Faux-Monnayeurs s'achèvent là, sans que l'on
sache si « les faux-monnayeurs » d'Édouard seront
jamais terminés. Le roman d'Édouard est comme un
ancêtre fossile de celui de Gide dont on connaît bien
l'évolution par d'autres détails. Édouard tenait un
journal qui contenait « la critique continue de mon
roman ». « Si nous avions le journal de *L'Éducation
sentimentale* ou des *Frères Karamazov !* », s'écrie-t-il
devant Laura et Bernard, « l'histoire de l'œuvre, de
sa gestation ! » Gide tenait lui-même un tel journal
et c'est peut-être le récit le plus détaillé de la composition d'un grand roman dans toute la littérature. Toutefois le *Journal des Faux-Monnayeurs* nous en apprend
moins sur ce qu'est le roman que sur ce qu'il cessa
d'être ; il rehausse la valeur de ce que Gide conservera
par la révélation de ce que, progressivement, il rejeta.

A la fin de *Crime et Châtiment,* Dostoïevski parle de
la « lente régénération » future de Raskolnikov et
dit : « cela fournira peut-être le thème d'une nouvelle
histoire ». *Les Caves du Vatican* s'achèvent sur une
demi-promesse semblable d'une suite. Jusqu'en
mai 1921, Gide envisagea son roman comme l'histoire
de Lafcadio après l'aventure des *Caves ;* pas celle de
sa régénération, car le crime de Lafcadio fut essentiel-
lement un crime impuni, mais celle de sa maturité
acquise sous la gouverne d'Édouard. Dans son premier
projet, toute l'histoire devait être racontée par le
journal de Lafcadio. Mais d'autres thèmes et d'autres

personnages apparurent, qui refusèrent d'être dominés par Lafcadio. Il en résulta un nouveau problème technique qui nécessitait une solution, laquelle devint une des grandes virtuosités du roman : les personnages principaux (de beaucoup plus nombreux que les personnages secondaires) devaient être égaux en « qualité » et, de ce fait, en réalité. Au lieu de graviter autour d'un centre immuable, ils allaient évoluer sur une ellipse relativement large dont les foyers seraient Édouard et Passavant. Par souci d'équilibre et d'harmonie, le surhumain Lafcadio dut être ramené aux mesures plus humaines de Bernard ; même ainsi cependant, Bernard continue de traîner derrière lui de sombres nuages de gloire qui sont les reliques de l'immortel Lafcadio.

Édouard et Passavant subirent une réduction semblable. Passavant, connu tout d'abord comme « le Séducteur » devait être le principal représentant du diable dans le roman et entreprendre de corrompre toute la famille du pasteur Vedel à laquelle les fils Molinier appartenaient alors. Mais Strouvilhou et Ghéridanisol reprirent plusieurs de ses fonctions et, finalement, Passavant est un personnage plus comique que maléfique ; souvent, sa vanité, comme lorsqu'il dédaigne de se venger d'Édouard pour lui avoir pris Olivier, le rend presque aimable. La réduction d'Édouard est plus frappante encore. L'action du roman devait être une création de son esprit ; en fait, c'est lui qui devient un simple reflet de l'action. D'abord, c'était lui qui faisait remarquer la fausse pièce à Bernard qui (il s'appelait encore Lafcadio) n'avait pas su la voir ; dans le roman que nous avons, la pièce

de dix francs et la mort de Boris échappent à sa com-
préhension. Il les rejette de son roman pour lequel elles
sont trop réelles. Avec une cruelle ironie, Gide fait du
chapitre des « Faux-Monnayeurs » qu'Édouard donne
à lire à Georges le seul passage malhabile de son propre
roman ; et les noms des personnages d'Édouard,
Audibert et Eudolfes rappellent ceux, absurdes et
maeterlinckiens, du *Voyage d'Urien*. Gide sentit qu'il
détachait Édouard de lui quand il fit dire à ce dernier : « Je n'ai jamais rien pu inventer », d'où son
agacement lorsque les critiques en déduisirent bête-
ment que Gide lui-même avait, là et rétrospectivement
dans ses romans précédents, fait preuve d'un manque
d'invention. Vincent aussi était un personnage plus
grand dans les premières versions du roman. Ce fut
l'importance croissante de Georges, de La Pérouse, du
diable et, surtout, d'Olivier, qui nécessita le remanie-
ment du roman. Olivier, le charmant et malléable
Olivier, n'aurait jamais pu coexister avec Lafcadio.

Les sources des *Faux-Monnayeurs* peuvent se classer
en sources littéraires, historiques et personnelles.
Dickens, dont on a rarement apprécié à sa juste valeur
la complexité des intrigues de ses derniers livres, était
l'auteur favori de Gide depuis 1894 pour « lire à la
fin de la journée, rentrant d'une longue promenade
dans les bois, dans ce grand fauteuil vert de La
Roque ». Le 24 mars 1916, il acheta plusieurs traductions de Dickens ; en décembre 1924, il relut *L'Ami
commun* « qui m'aide à mieux juger mes *Faux-
Monnayeurs* ». Plus qu'aucun autre roman, *Les Faux-
Monnayeurs* possède cette complexité d'intrigue, parfaite mais sobre, que Dickens rechercha jusqu'à son

dernier livre. De plus, la notion de contrefaçon de Gide
dans les idées et les personnages se rapproche étroitement de la notion des « grandes espérances » de
Dickens. La passion de Gide pour Browning était à son
apogée au début des années 20 ; l'influence de *The Ring
and the Book* est encore visible dans la présentation
stéréoscopique qu'il fait des événements par le truche-
ment de différents personnages, une technique qu'il
avait tout d'abord songé à employer davantage. Le
style et l'atmosphère, comme ceux des *Caves du Vatican,* rappellent Stendhal, mais avec des résonances
plus profondes, à la Dostoïevski, sur lequel Gide fit une
série de conférences en février et mars 1922. « Je
présentais ma propre éthique à l'abri de celle de
Dostoïevski », déclarait-il ; toutefois il ajoutait :
« n'eussé-je rencontré ni Dostoïevski, ni Nietzsche, ni
Blake, ni Browning, je ne puis croire que mon œuvre
eût été différente ». Dans Dostoïevski, Gide ne trouva
rien qu'il ne possédât déjà ; ici, il convient de prendre
le mot « influence » au sens où lui-même l'entendait
dans *Prétextes.* Cette communauté de pensée, particulièrement sur la conception du crime comme acte
gratuit et du renoncement en tant que plus haute
expression d'individualité et de liberté, fait du
Dostoïevski de Gide l'étude la plus profonde sur ce
sujet. Les *Faux-Monnayeurs* sont *Les Possédés* de Gide,
bien que la bande de lycéens rappelle *Les Frères
Karamazov* et que le combat de Bernard avec l'ange
évoque celui d'Ivan Karamazov avec le démon.

Gide, comme Dostoïevski, était sensible au mystère
qui, quelquefois, se dissimule derrière un paragraphe
de journal. La bande de faussaires, (pas « bande »,

Monsieur, dites plutôt « cénacle », déclara le chef au juge) exista réellement et fut dissoute en 1906 ; le suicide de Boris se produisit réellement dans une école de Clermont-Ferrand en 1909 et Gide, ironiquement, insère dans *Le Journal des Faux-Monnayeurs* des coupures de journaux comme preuves de ces faits curieux. Le 2 mai 1921, il surprit un jeune écolier en train de voler dans une boîte de bouquiniste...

Cependant, presque tous les personnages sont tirés de trois époques de la vie de Gide — les années 80, le début du siècle et les années 20 — son enfance, sa jeunesse et sa maturité. La création des personnages de son roman fut conditionnée par la rédaction de *Si le grain ne meurt*, qui eut pour effet de raviver ses souvenirs. La Pérouse était son vieux professeur de piano, Marx de La Nux, bien qu'il ne l'eût fréquenté, d'après son *Journal*, que de 1902 à 1914. Le petit Boris était un jeune Russe frêle, camarade de classe de Gide en 1879, mais c'était aussi Pierre, le petit-fils de Marc de La Nux que l'on dut, en 1902, retirer de l'École alsacienne (« parce qu'il était trop facilement le premier », mentit Mme de La Nux à Gide) et qui devint plus tard secrétaire de Gide et de la *N. R. F.* Armand Vedel apparaît dans *Si le grain ne meurt* en la personne du fils de l'onctueux pasteur Bavretel ; il a deux sœurs comme Rachel et Sarah et un frère aîné, étudiant en médecine comme Vincent[1]. Vincent, lui, doit quelque chose au cousin de Gide, Paul, et à son aventure amoureuse avec la comédienne Ventura[2]. Lady Lilian Griffith

1. Dans les premières versions, Vincent était un Vedel, non un Molinier.
2. La consultation des journaux de l'époque démontre que c'était bien là son vrai nom, ou du moins son vrai nom de théâtre.

tire, au moins, son prénom de lady Rothermere qui, en 1917, traduisit en anglais avec l'aide de son protégé Paul Méral *Le Prométhée mal enchaîné* de Gide. Georges a peut-être été inspiré par K., le neveu de Gide, sous les yeux duquel il laissa involontairement traîner un carnet contenant « quelques réflexions assez sombres » sur le caractère de K.[1]. Toutefois, les événements les plus importants de la vie de Gide qui apparaissent dans le roman sont liés à Laura et Olivier. En juillet 1922, Gide renoua sa liaison de 1916, à la suite, encore une fois, d'une lecture de Browning ; et en janvier 1923 naquit Catherine, l'unique enfant de Gide. Mai 1917, nous l'avons vu, marque le début de l'heureuse et durable amitié qui lia Gide au fils de son ancien précepteur, Marc Allégret, qui avait alors quinze ans. Ils visitèrent Saas-Fée en Suisse dans le courant du mois d'août de cette année-là. En décembre 1917, Gide prit ombrage un moment des rapports entre Marc et Cocteau. Le comte Robert de Passavant, bien qu'il ait certains traits de Jean Lorrain (un Cocteau des années 90 tombé dans l'oubli), et plus encore du comte de Montesquiou, qui fut le principal modèle de Proust pour le baron de Charlus, est une version banalisée du génie apparemment factice, mais, en fait, d'or pur de Cocteau. Le nom de Passavant, suivant la manière dont il est prononcé, est en lui-même un calembour qui suggère une idée de superficialité et d'opportunisme[2] ; son roman, *La Barre fixe,* rappelle celui de

1. Les indices relevés dans le *Journal* ne permettent pas de déterminer si K. était Jacques ou Dominique Drouin, ou un fils de Pierre Espinas, le mari de Jeanne, la fille de Charles Gide.
2. Pass-avant ; Pas-savant. Passavant est aussi, comme Justin

Cocteau, *Le Grand Écart* ; et Ghérida dans Ghéridanisol est phonétiquement l'anagramme de Radiguet, le jeune prodige dont la mort, en 1923, fit de Cocteau un *veuf sur le toit* [1]. Le soir du 6 décembre 1917, lorsque Marc Allégret rentra tard d'une visite à Cocteau, et le lendemain (« pour la première fois de ma vie, j'ai connu le tourment de la jalousie » dit Gide), quand Cocteau rassura gentiment Gide en lui répétant mot pour mot leur innocente conversation, ont donné naissance à deux des principaux moments de son roman. Trente-deux ans plus tard, en 1949, les vieux rivaux se pardonnèrent mutuellement : « J'ai voulu vous tuer », avoua Gide. Depuis cet incident, il avait été assidûment méchant pour Cocteau dans son *Journal* ; ce dernier était plus généreux. « Il m'agaçait et il m'aimait », écrivit-il après la mort de Gide. Et il conclut en termes qui font autant d'honneur à sa magnanimité qu'à sa perspicacité : « En fin de compte, nos chiffres si différents arrivent à produire le même total ».

« Ce n'est point tant en apportant la solution de certains problèmes que je puis rendre un vrai service au lecteur », écrivit Gide dans *Le Journal des Faux-Monnayeurs* « mais bien en le forçant à réfléchir lui-même sur ces problèmes dont je n'admets guère qu'il

O'Brien l'a fait remarquer, le cri de guerre ancestral du baron de Charlus de Proust (*A la Recherche du Temps Perdu*, *La Pléiade*, I., 754).

1. Parmi les personnages secondaires, Dhurmer évoque Camille Mauclair ; le timide Lucien, c'est Christian Beck (un poète belge que Gide connut vers 1890). Jarry est bien l'auteur du *Père Ubu*. *Les Argonautes* font penser au groupe du *Mercure de France*, rival de la *N. R. F.* que dirigeaient Alfred Vallette et sa femme Rachilde. *Les Argonautes* était vraiment le titre d'une revue littéraire d'avant-garde qui connut une brève existence avant la guerre de 14-18.

puisse y avoir d'autre solution que particulière et personnelle ». Un des problèmes posés par Gide à son lecteur est exprimé par l'énigme de son titre. Qui sont les « faux-monnayeurs » ? A la lecture du livre, nous constatons que les personnages se répartissent en groupes qui, d'une manière ou d'une autre, ont affaire à ce trafic de fausse monnaie, et que la bande des « faux-monnayeurs », au sens propre du terme, n'est qu'un symbole des autres. Il y a la bande des lycéens qui feignent avec beaucoup trop de succès un amour du mal qu'ils n'éprouvent pas ; la bande des parents qui simulent devant leurs enfants une moralité de convention à laquelle ils ne se plient pas eux-mêmes ; la bande des écrivains qui simulent une renaissance littéraire ; les amants qui simulent l'amour. Édouard, le romancier, est le plus faussaire de tous, puisqu'il échafaude un roman qui est une parodie de celui de Gide et passe à côté de tous les événements importants qui forment la trame de ce dernier. Seul le roman de Gide n'est pas artificiel et sonne juste.

Les Faux-Monnayeurs ont été qualifiés d'œuvre tragique, pessimiste, désespérée, cruelle. Elle contient, comme la vie même, des familles malheureuses, des crimes et des morts violentes ; toutefois, ce tragique est dominé par le courage et la gaieté des héros. C'est un des rares romans où l'activité intellectuelle des personnages est aussi importante que leurs sentiments ou leurs actes. Le roman tout entier est animé par la joie de vivre ironique, mais sincère, de Gide. Si son intrigue est dostoïevskienne, le style, l'atmosphère, l'ensemble possèdent quelque chose de la gaieté de Stendhal. C'était par comparaison avec Dostoïevski et

Stendhal que, dans le passé, Gide voulait être jugé ;
mais à qui souhaitait-il être comparé dans le présent ?
Un passage du *Journal des Faux-Monnayeurs* répond
bien à cette question. Le 15 mars 1923, Gide note un
rêve étrange qu'il a fait. Il était assis dans le cabinet
de travail de Marcel Proust (mort au mois de novembre
précédent), et conversait avec lui ; il s'aperçut qu'il
tenait à la main une cordelette reliée à deux volumes
de la bibliothèque de Proust. Saisi d'une irrésistible
impulsion, il tira sur la cordelette et abîma ainsi une
édition magnifiquement reliée des *Mémoires* de Saint-
Simon ! Proust mit fin à ses excuses « sur un ton d'amabilité exquise et tout à fait grande seigneur », puis
disparut. Et Gide s'était réveillé au moment où il
pleurait dans les bras du valet de chambre de Proust,
auquel il avouait que son geste destructeur avait été
volontaire.

Il serait aisé d'analyser ce rêve selon les théories
de Freud, de montrer que Proust et le valet de chambre sont tous deux des images du père de Gide mort
depuis longtemps, et de reconstruire le crime inconnu
de son enfance, que le rêve révèle et dissimule à la
fois. Cependant il existe une autre école de psychana-
lystes qui estiment que chaque rêve n'est pas seulement
une recherche du temps perdu, mais une tentative
pour affronter, à un niveau intérieur inaccessible pour
notre vie éveillée, les problèmes du présent. Une nécessité intérieure et le hasard avaient rendu l'attitude de
Gide à l'égard de Proust profondément équivoque. En
1912, Proust, considéré alors comme un obscur dilettante, avait soumis la première partie de son immense
roman à l'éditeur de Gide, la N. R. F., et Gide avait

été en partie responsable du refus de son manuscrit.
Puis la situation avait connu un retournement et Gide
avait été convaincu du génie de Proust. « Le refus de
ce livre restera... l'un des regrets, des remords les plus
cuisants de ma vie », avait-il écrit à Proust en janvier 1914. Celui-ci lui avait répondu avec la même
amabilité de grand seigneur que dans son rêve : « La
joie de recevoir votre lettre passe infiniment celle que
j'aurais eue à être publié par la N. R. F. » En 1916,
Proust émigra avec son roman à la N. R. F.

En novembre 1922, trois mois avant le rêve de Gide,
Proust était mort en pleine gloire. Son roman était
déjà assuré de survivre ; la composition de celui de
Gide ne venait que de commencer. Serait-il capable de
détrôner le roman de Proust, qui, comme son rêve le
laissait malicieusement entendre, devait tant aux
Mémoires de Saint-Simon, de la place qu'il occupait
dans la bibliothèque de l'immortalité ? Mais le lien qui
reliait Proust et Gide pouvait être tiré dans les deux
sens. Les similitudes qui existent entre *A la Recherche
du Temps perdu* et *Les Faux-Monnayeurs* sont moins
frappantes que les différences, pourtant elles sont là.
Le roman de Gide possède son baron de Charlus, sa
bande d'adolescents, sa préoccupation des « Cités de
la Plaine ». Dans les deux ouvrages, le personnage
central écrit un roman qui se révèle être plus ou moins
celui que nous lisons. Mais la ressemblance la plus
importante réside dans le fait que tous les deux
furent écrits avec le sentiment de composer un grand
roman. Gide cherchait à battre Proust sur son propre
terrain. Dans le rêve, la jalousie de Gide à l'égard de
Proust est révélée, avouée et pardonnée. Désormais,

bien que rivaux, ils sont aussi confrères. Quant aux
différences entre les deux romans, aucune n'est plus
caractéristique que la situation de leurs héros :
l'Édouard de Gide est beaucoup plus rigoureusement
distinct de son créateur que le Narrateur de Proust.
Le but visé par *Les Faux-Monnayeurs* n'est pas de trans-
mettre une monnaie, même authentique, fabriquée par
Gide, mais de permettre au lecteur d'accéder à son
indépendance en frappant la sienne.

CHAPITRE IX

LES AUTRES

VOYAGE AU CONGO, LE RETOUR DU TCHAD,
L'ÉCOLE DES FEMMES, ROBERT, GENEVIÈVE,
L'AFFAIRE REDUREAU, LA SÉQUESTRÉE DE POITIERS,
ŒDIPE, PERSÉPHONE, LES NOUVELLES NOURRITURES,
RETOUR DE L'U. R. S. S., RETOUCHES A MON RETOUR
DE L'U. R. S. S.

> « J'étais semblable à ces créa-
> tures qui ne peuvent croître sans
> successives métamorphoses. »
>
> *Journal,* 8 décembre 1929.

Vers la fin de la rédaction des *Faux-Monnayeurs,*
Gide se sentit prêt pour une nouvelle rupture avec le
passé et le présent. Il avait atteint le point décisif
de sa vie — Gide avait maintenant cinquante-
cinq ans — et il lui fallait quelque grande aventure
de libération et de joie, quelque révélation comparable
à la magie perdue de la Tunisie, pour lui permettre
d'aborder la vieillesse avec une espérance et une ferti-
lité intactes. L'air de France devenait irrespirable : les
calomnies du critique catholique Henri Massis, qui

voyait en Gide le corrupteur athée de la génération d'après-guerre, et la campagne d'Henri Béraud (que Béraud baptisa la « Croisade des Longues Figures ») contre Gide et la *N. R. F.*[1] battaient leur plein. D'ailleurs, une fois de plus, il éprouvait son vieux besoin de disparaître avant la publication d'une œuvre majeure ; et *Les Faux-Monnayeurs* et *Si le grain ne meurt* nécessitaient une disparition plus spectaculaire que jamais. En décembre 1924 — le fait rappelle, en plus sérieux, le rasage de ses moustaches après *La Porte étroite* — il se fit opérer de l'appendicite. En avril 1925, il vendit sa bibliothèque de livres offerts en hommage par ses anciens amis — notamment Louÿs, Régnier[2] et Jammes. Puis, le 14 juillet 1925, il s'embarqua pour le Congo avec Marc Allégret. A un passager qui lui demandait : « Qu'est-ce que vous allez chercher là-bas ? » Gide répondit : « J'attends d'être là-bas pour le savoir ».

Leur navire longea la côte de Dakar jusqu'au Congo. Ensuite, ils remontèrent les fleuves Oubangui et Congo en vapeur, traversèrent la province de l'Oubangui en voiture et gagnèrent à pied avec des porteurs le lac Tchad pour y rencontrer un ami de Gide, Marcel de Coppet, qui venait d'être nommé gouverneur de cette région. Le voyage de retour (« Désormais chaque jour me rapproche de Cuverville ») s'effectua en baleinière jusqu'au fleuve Logone, puis de nouveau

1. Gide expédia à Béraud une boîte de chocolats avec ce message : « Non, je ne suis pas un ingrat, mes familiers en ont menti ». Béraud, l'archi-patriote, devait plus tard être emprisonné pour collaboration.

2. La spirituelle réaction de Régnier fut d'adresser à Gide un exemplaire de son dernier roman avec ces mots : « Pour votre prochaine vente ».

à pied à travers le Cameroun pour atteindre la côte
à Douala en mai 1926. Marc Allégret, qui, dans les
années trente, allait réaliser l'inoubliable et charmant
Lac aux Dames, avait profité du voyage pour tourner
un excellent film sur la vie des indigènes. En 1927 et
28, Gide publia, dans *Voyage au Congo* et *Le Retour
du Tchad,* son journal de voyage.

Les deux livres, qui n'en font qu'un en réalité, sont
les plus longs, pris ensemble, hormis le *Journal,* de
l'œuvre de Gide. Ils possèdent, tant par la forme que
par le ton, un charme qui leur vaut une bonne place
selon les critères mêmes de leur auteur. Ils ont été
rédigés au jour le jour, de telle sorte que le résultat
final ne pouvait être concerté. Après son retour, Gide
s'abstint de toute retouche afin de ne pas altérer leur
caractère de spontanéité. Cependant son esprit de synthèse sut donner aux hasards du voyage la forme d'une
symphonie. Le genre est celui de « diverse monotonie »
d'*Amyntas,* bien que le ton ne soit plus celui du regret,
mais plutôt d'une joie libérée et d'une poignante
sérénité.

Les monotonies, comme autant de modulations suc-
cessives, sont celles des diverses étapes du voyage :
l'auto, la marche, la baleinière, la litière, le cheval —
la forêt, la savane, le fleuve, les collines rocheuses —
l'automne tiède, les nuits froides, la chaleur acca-
blante, le début de la saison des pluies. Chaque monotonie offre de nombreuses diversités : les fleurs, les
arbres, les papillons, le gros gibier ; les aliments, les
difficultés, la joie, la reconnaissance des porteurs ; les
danses de village, l'accueil des chefs et des sultans
dont l'épisode marquant fut le ballet comique lors de

la réception donnée par Reï Bouba. D'autres thèmes
courent à travers ces deux livres : la recherche, déçue
jusqu'à l'avant-dernier jour, de la forêt primitive (« Je
m'attendais à plus d'ombre, de mystère et d'étran-
geté ») ; l'histoire de leurs jeunes serviteurs Adoum et
Outhman qui sont comme un double d'Athman
trente ans auparavant ; ou la tragédie de Dindiki, le
pérodictique potto apprivoisé de Gide[1]. Il existe une
charmante photographie qui représente Marc, jeune,
mince, alerte, et Gide, détendu, attentif et heureux,
assis à leur table de déjeuner devant une hutte indigène. Tous deux portent des vêtements coloniaux et à
la cheville de Gide est attachée une corde au bout de
laquelle on devine mal Dindiki. Le pérodictique potto
fit des centaines de kilomètres perché sur l'épaule de
Gide ; il souffrit de constipation, Gide lui administra
des lavements d'huile et chercha en vain le médicament
inconnu capable de sauver l'animal. Quand Dindiki
mourut, Gide déclara qu'il avait connu la douleur d'un
père qui perd son enfant. On trouve également dans
ces deux livres des souvenirs de La Roque, de doulou-
reuses réflexions sur Madeleine Gide bien éloignée
physiquement et moralement ; quelques plaisanteries
amères à l'adresse de ses ennemis — Marc ayant abattu
un cochon sauvage, Gide déclare qu' « il devait peser
autant qu'un Béraud ». Le voyage de retour fut plus
difficile. La maladie sur le Logone, la chaleur croissante au Cameroun laissent présager un désastre jusqu'à ce que les pluies et le terme du voyage viennent
relâcher cette tension. Les plaintes habituelles aux

1. De la famille des Lémuriens, cet animal n'a rien à voir avec le
pérodictique édenté d'Amérique du Sud.

voyageurs en pays équatoriaux sont étrangement absentes de ces pages.

Cet émerveillement enchanté, dont Gide avait pleuré la perte dans *Amyntas*, était revenu. « L'air parfois souffle si léger, si suave et voluptueusement doux, qu'on croit respirer du bien-être » ; « une sorte d'adoration confuse ruisselle de mon cœur ». De telles phrases, extraites du début et de la fin de ce récit de voyage, pourraient être tirées des *Nourritures terrestres* ; mais leur contexte est ce calme et cette sérénité sûre d'elle-même qui, seuls, auraient pu rendre l'évangile des *Nourritures* permanent. Le Congo fut pour Gide le paradis retrouvé. Et jamais plus désormais il ne serait longtemps reperdu.

Le Congo avait redonné à Gide sa joie de vivre ; il ranima aussi en lui un sens de la justice sociale qui allait dominer ses dix prochaines années. Il traita les indigènes en amis et fut payé par leur gratitude et leur dévouement. De l'auto, il adressait des saluts de la main aux Noirs qu'il croisait ; au début ceux-ci en étaient effrayés, puis, quand ils comprenaient que ces gestes étaient amicaux, c'étaient « des cris, des hurlements, des trépignements, un délire d'étonnement et de joie que le voyageur blanc consente à tenir compte de leurs avances, y réponde avec cordialité ». Partout il découvrit, avec une pitié et une colère grandissantes, les raisons de leur étonnement ; l'Afrique équatoriale française était exploitée par de soi-disant « grandes compagnies concessionnaires ». D'horribles atrocités étaient commises sur les indigènes lorsqu'ils n'apportaient pas des quantités suffisantes de caoutchouc pour la récolte duquel ils devaient abandonner leurs cultures alimen-

taires, et cela pour un salaire dérisoire. « Quel démon
m'a poussé en Afrique ? », s'écria Gide ; « J'étais tranquille. A présent je sais ; je dois parler ». Et il voit
venir avec une résolution désespérée un temps où il
ne pourra plus « parler sans aucun souci qu'on m'en-
tende, toujours écrire pour ceux de demain », mais où
il devra imiter « ces journalistes dont la voix porte
aussitôt, quitte à s'éteindre sitôt ensuite ».

La campagne de Gide produisit plus de bruit que
de résultats immédiats. Un important article dans les
Débats fut perfidement titré : « L'exploitation d'une
accusation », et le ministre des Colonies annonça que
l'on allait remédier à tout cela. Cependant l'éloquence
de l'accusation portée par Gide contre le capitalisme
colonialiste, contre « cet abominable crime de
repousser, d'empêcher l'amour », demeure valable ;
valable aussi, bien qu'évidemment périlleuse, la beauté
de l'exemple qu'il donna en sacrifiant l'art pour l'art
aux exigences de sa conscience. Il avait fait un premier
pas dans la voie qu'il allait suivre jusqu'à la seconde
guerre mondiale. « Une immense plainte m'habite » ;
« ne plus seulement avancer, mais se diriger vers un
but... Inexprimable satisfaction ! » Toutefois, cinq
années devaient encore s'écouler avant sa conversion
au communisme dans les années 30.

Avant un nouveau bond, Gide prit son recul habituel.
Tout comme dans la luxuriance tropicale il avait lu,
par contraste, Bossuet et Racine, il aborda alors un
sujet aussi éloigné que possible de ses préoccupations
passées et futures. Dès le 16 juillet 1914, il avait noté
dans son *Journal* un « beau sujet de roman » : une
jeune fille épouse, contre le gré de ses parents, un

homme auquel elle prête d'extrordinaires qualités qui
sont invisibles à ceux-ci. Peu à peu, ses parents pren-
nent le parti du mari, tandis qu'elle a découvert et
qu'elle est obligée de dissimuler qu'elle s'était illusion-
née sur son compte. Plus tard, Gide voulut utiliser
ce thème dans *Les Faux-Monnayeurs*, mais la pression
des autres le fit exclure ; cependant, il en reste quelque chose dans la longanimité de Pauline Molinier.
Entre décembre 1926 et octobre 1928, il écrivit son
roman *L'École des femmes*, empruntant par ironie son
titre à Molière.

Éveline est fiancée à Robert. Ils se sont mutuellement promis de tenir un journal des débuts de leur
amour. La première déception d'Éveline se produit
quand elle découvre que son amoureux si sincère,
modeste, idéaliste, délicat et courtois n'a pas tenu sa
promesse. Vingt ans plus tard, elle reprend son journal.
La vie auprès d'un époux qui se gargarise de belles
phrases, n'agit qu'en fonction des conventions, est
devenue insupportable. « Je suis la femme d'un
pantin [1] », dit-elle. « Robert n'est pas un hypocrite. Les
sentiments qu'il exprime, il imagine les avoir. » Un
prêtre ami de la famille lui explique que ses griefs
sont dûs à son orgueil et il la presse de se soumettre,
mais elle constate que de l'humiliation de la soumission ne découle pas l'humilité, mais un nouvel orgueil
plus coupable encore [2]. Son fils Gustave est aussi creux
que son père ; pis encore, sa fille Geneviève partage le

1. Gide fait ici une malicieuse allusion au titre du roman de
Pierre Louÿs, *Le Femme et le pantin*, où ces mots sont pris dans
un tout autre sens.
2. Pour une analyse plus approfondie de l'humilité, de l'humiliation et de l'orgueil, voir la seconde conférence dans le

mépris qu'elle a pour Robert : « Je crains de retrouver en elle ma propre pensée, plus hardie, si hardie qu'elle m'épouvante ». Éveline a une explication avec Robert et lui déclare : « Celui que j'ai passionnément aimé était très différent de celui que j'ai lentement découvert », et qu'elle doit le quitter. Robert pleure de désespoir et lui dit : « Si tu m'aimais encore un peu, tu comprendrais que je ne suis qu'un pauvre être, qui se débat, comme tous les êtres, et qui cherche, comme il peut, à devenir un peu meilleur qu'il n'est ». Il l'aime encore ; son devoir est donc de rester. Mais la guerre éclate et Robert réussit non seulement à se faire donner une affectation bien à l'abri, mais à obtenir la croix de guerre avec. C'en est trop, ou bien c'est peut-être là l'excuse valable tant attendue. Éveline le quitte pour devenir infirmière dans un hôpital militaire où l'on soigne un mal dangereux — elle ne précise pas lequel.

Comme toujours, l'ironie était venue modifier, transformer le thème original, déjà assez complexe, de Gide. Seul le lecteur irréfléchi verra en Éveline une femme cruellement lésée et en Robert son inférieur médiocre. La première partie du journal d'Éveline a une triple signification : derrière son admiration sans bornes pour Robert, nous pressentons les déficiences de cet homme ; toutefois Éveline se révèle également médiocre et beaucoup plus sotte. Son pouvoir d'analyse est pénétrant, mais dirigé exclusivement vers les défauts des autres ; son défaut à elle n'est pas tant l'orgueil que la vanité. Dans son mariage elle démontre cette

Dostoïevski de Gide, en particulier la phrase : « Si l'humilité est un renoncement à l'orgueil, l'humiliation au contraire amène un renforcement de l'orgueil. »

incapacité pour une mère de famille du xxᵉ siècle
d'exister en tant qu'individu en dehors de sa famille
et cette tendance à se venger de son insatisfaction sur
son mari.

Les critiques, passant à côté de la question, repro-
chèrent à Gide sa cruauté à l'égard de Robert. Repre-
nant la méthode de Browning dans *The Ring and the
Book*, il conçut l'idée plaisante de raconter à nouveau
cette histoire par la voix de Robert. Il composa *Robert*
en une semaine au cours du mois de septembre 1929,
une facilité d'écriture dont il faisait souvent la démons-
tration lorsque, comme dans le journal d'Alissa de *La
Porte étroite*, il écrivait en se plaçant dans l'esprit
même d'un personnage étranger plutôt que de peiner
à créer un personnage distinct de lui.

Dans *Robert* (dont son auteur putatif dit qu'on
pourrait l'intituler *L'École des maris*), Robert écrit
à Gide avec une tristesse dénuée de colère, pour lui
reprocher son indiscrétion en livrant au public le journal intime de la femme d'un autre homme. Robert
n'éprouve non plus aucun ressentiment à l'égard
d'Éveline. Son mépris a blessé son cœur, mais non son
amour-propre. Fait paradoxal, Robert a moins de vanité
et plus de véritable respect de lui-même qu'Éveline. La
réflexion qu'il fit en 1894, et qu'Éveline admira avant
de la mépriser, était parfaitement sincère bien que
pleine de suffisance : « Ce n'est pas que je tiens à
parvenir, mais je tiens à faire réussir les idées que
je représente ». « Elle prétendit juger de tout par elle-
même. » Robert, soumis à un idéal extérieur, contrefait
des vertus qu'il ne possède pas en vue de les acquérir.
Éveline, avec ses amis le docteur Marchant et le peintre

Bourgweilsdorf, « confondait volontiers avec l'hypo-
crisie, avec l'insincérité du moins, tout effort de perfec-
tionnement et toute subordination de la sensation et de
l'émotion à un idéal ». « Ce qu'Éveline méprisait en
moi, c'était cet effort vers le mieux qui seul n'était pas
méprisable. » « Elle se refusait à comprendre que je
pusse préférer en moi celui que je voulais être et que
je tâchais de devenir, à celui que naturellement j'étais ».
« Je crois », soupire Robert, « que c'est là la raison de
cruels mécomptes, tant en amitié qu'en amour : ne pas
voir l'autre aussitôt tel qu'il est, mais bien se faire de
lui d'abord, une sorte d'idole que, par la suite, on lui
en veut de ne pas être, comme si l'autre en pouvait
mais ». Robert conclut en révélant qu'il s'est remarié
et que, cette fois, il est heureux. Et c'est auprès de cette
seconde épouse qu'il espère se retrouver dans la vie
éternelle. « Que veux-tu, mon ami, nous ne nous diri-
geons pas vers le même ciel », lui avait dit Éveline un
jour.

Robert, conservateur, catholique, soumis à l'autorité
spirituelle, personnifie tout ce contre quoi Gide s'était
opposé tout au long de sa vie. Et pourtant, en dépit de
la ridicule fatuité de Robert, il lui fait si bien justice,
comme au frère aîné de l'enfant prodigue, qu'il le laisse
pratiquement avoir raison dans ce débat. Robert est un
sot, mais il n'est pas vil. Peut-être pourrait-on dire que
si tous étaient semblables à Robert, aucun progrès ne
serait possible, mais que si personne ne lui ressemblait,
aucun progrès non plus ne pourrait demeurer vraiment
acquis. Gide aussi s'était plié au devoir et à la
contrainte. En 1938, dans le désespoir qui suivit la
mort de sa femme, il se conseilla, avec quelque ironie,

« la méthode de Robert », feindre une victoire qu'il ne tenait pas encore afin de pouvoir la remporter.

En mars 1930, six mois après *Robert* et au milieu de la composition d'*Œdipe*, Gide commença *Geneviève*, le récit de la fille de Robert. A l'origine, il avait l'intention de faire en sorte que Geneviève parvienne à son salut par la voie qu'il avait empruntée lui-même, celle du communisme. Mais le 1er janvier 1932, il comprit brusquement l'erreur de vouloir prêter à un personnage imaginaire des opinions qui étaient les siennes et il entrevit la possibilité d'écrire une grande œuvre sur le communisme. Ce livre ne fut jamais écrit, mais entre-temps il débarrassa *Geneviève* des idées communistes qu'il entendait réserver pour cet autre ouvrage. En 1933, la version de *Geneviève* que nous possédons aujourd'hui était écrite. Par la suite cependant, en février 1934 à Syracuse et en mars 1936 en Afrique occidentale, il commença et détruisit une troisième partie à ce livre. Désespérant d'achever un roman qui ne l'avait jamais profondément intéressé ni convaincu (« Je dois à mon héroïne de demeurer raisonnable », se plaignit-il), il publia ce récit inachevé en 1939 et les choses en restèrent là.

Geneviève a fait, à son tour, parvenir à Gide sa version de l'histoire familiale. Comme ce père qu'elle détestait, elle juge ironiquement l'œuvre de Gide. Il a répondu « d'une façon vague et générale (à) la question : que peut l'homme ? » Mais pour elle le problème est : « Qu'est-ce que, de nos jours, une femme est en mesure et en droit d'espérer ? » Jusque-là, la vertu féminine a été négative, consistant en dévouement, soumission et fidélité — à l'homme. Sa mère ne pou-

vait qu'aspirer à la liberté, pour Geneviève il s'agit
de la prendre — mais comment et dans quel but ?

Au lycée, elle tombe amoureuse de Sara, la ravis-
sante fille d'un peintre juif, et l'un des derniers enfants
naturels des romans de Gide. Sara est obsédée par
l'idée de l'amour libéré de l'esclavage du mariage et
elle parvient à faire partager ses opinions à Geneviève
avant qu'Éveline ne découvre le danger qui menace sa
fille et ne sépare les deux amies. Geneviève lit *Jane
Eyre* et *Clarissa*. « Les femmes ont besoin d'exercer
leurs facultés, tout comme leurs frères », trouve-t-elle
dans le premier, mais de l'autre elle dit : « Cette assi-
milation de l'honneur à la pureté me paraissait inad-
missible » — « Le déshonneur n'était pas d'avoir
un amant, mais de se faire entretenir ». Elle entreprend
des études de droit afin de pouvoir défendre les droits
de la femme et demande au docteur Marchant de lui
faire un enfant. Celui-ci refuse et Geneviève reconnaît
que son but n'était pas motivé par son amour pour
cet homme, encore moins par l'envie d'avoir un
enfant, mais par le désir de défier les conventions, et
son père en particulier. Elle rend visite à Éveline, qui
mourra quelques mois plus tard, et découvre que sa
mère a aimé le docteur Marchant et que c'est probablement pour cette raison qu'il a refusé la fille.

Dans *Geneviève*, Gide voulut « aborder de front toute
la question du féminisme » ; cependant il n'indique ni
dans ce livre ni ailleurs qu'il ait cru à l'existence d'une
solution. Geneviève voudrait trouver quelque chose que
seule la femme serait capable d'accomplir, le faire elle-
même et aider les autres femmes à suivre son exemple.
« Les qualités féminines peuvent être différentes de

celles des hommes sans être pour cela inférieure. » Sa
devise est la même que celle de Bernard dans *Les Faux-
Monnayeurs* : « Il ne tient qu'à toi ». De faire quoi ?
On peut présumer que, dans la troisième partie, elle
aurait trouvé ; ou bien Gide ne pouvait-il achever cette
troisième partie parce qu'il était incapable de répondre
à « toute la question du féminisme » ? Quelle est la
chose que seule une femme peut faire ? La seule
réponse est peut-être : « avoir un enfant ». Et cela,
au moins, Geneviève allait le faire, car elle fait allusion à son fils, et sans qu'il ait été question de mariage
puisqu'elle est toujours célibataire. Se peut-il que le
futur père de son enfant ait été le Bernard des *Faux-
Monnayeurs* ? Bernard, nous le savons, devait apparaître dans la troisième partie. Toutefois cette union
n'eût guère été satisfaisante : Geneviève est sa contre-
partie féminine et elle a trouvé sa devise qui est la
même que la sienne, mais elle n'est pas vraiment son
égale. Et l'un de ses principes : « Par où je passe n'importe guère, mais seulement vers où je vais » est tout
à fait opposé à celui de Bernard : « Il n'importe guère
vers où nous allons, pourvu que nous avancions ».

Le sujet de cette trilogie de Gide est-il entièrement
imaginaire ou doit-il quelque chose à la réalité ? Il est
possible que, lorsque toute la correspondance de Gide
aura été publiée, nous trouvions trace dans sa famille
ou parmi ses amis, d'un ménage qui rappelle celui de
Robert et d'Éveline. Il est certain que quelques traits
de Robert ont été empruntés à Eugène Rouart : ses
activités dans le monde de la culture, de la politique
et des affaires, son conformisme sans cesse grandissant et sa façon de dire, lorsqu'il voulait faire passer

l'idée d'autrui pour la sienne : « En cherchant, j'ai trouvé [1] ». Il y a dans Éveline des traits de Mme Théo van Rysselberghe, amie et compagne de Gide, dans Geneviève de sa fille, Élisabeth, la mère de Catherine, l'enfant de Gide. Mais tout cela a moins d'importance dans cette œuvre la plus impersonnelle de Gide que partout ailleurs.

En 1930, Gide lança une collection de dossiers criminels baptisée *Ne jugez pas*. Ce fut un retour aux préoccupations de ses *Souvenirs de la cour d'assises* de 1914. Du 13 au 25 mai 1912, après avoir insisté pour que son nom soit inscrit sur la liste des jurés, il fit partie du jury des assises de Rouen et ressentit « jusqu'à l'angoisse à quel point la justice humaine est chose douteuse et précaire ». Il n'est pas exact de rattacher, comme certains critiques l'ont fait, cette expérience à son intérêt pour l' « acte gratuit ». Les crimes, vols et viol sur lesquels il fut appelé à se prononcer étaient des réactions animales d'êtres sous-développés contre la misère de leur milieu. L'absence de profit réel ou de plaisir pour le criminel est frappante dans ces affaires, mais ces crimes n'ont jamais la dignité de la gratuité ; d'ailleurs Gide ne mentionne à aucun moment cet aspect à leur propos. L'intérêt est ici social et moral plutôt que psychologique. Il lui parut que les témoignages étaient souvent confus. A plusieurs reprises, il intervint, mais constata que les points qu'il soulevait étaient trop subtils pour le juge ou le jury ; le mécanisme de la justice poursuivait son travail « avec d'affreux grincements ».

---

1. Propos de Rouart rapporté dans le *Journal*, 19 août 1927

L'Affaire Redureau était en revanche un authentique « acte gratuit ». En 1913, Marcel Redureau, un garçon âgé de quinze ans qui avait été réprimandé par son employeur, tua celui-ci, sa femme, leurs enfants, les domestiques, le bébé, toute la maisonnée. En tout sept personnes. Il ne put fournir aucune explication à ce crime et fut condamné à vingt ans de prison.

Dans *la Séquestrée de Poitiers,* l'intérêt est encore plus exclusivement psychologique. En 1901, une lettre anonyme dévoila à la police de Poitiers que Mélanie Bastian était séquestrée par sa mère autoritaire et son frère mou de caractère depuis la naissance d'un enfant illégitime en 1875. La malheureuse, qui était devenue une demi-folle squelettique, âgée maintenant de cinquante et un ans, fut conduite à l'hôpital où elle pleura et supplia qu'on la ramenât dans sa « chère petite grotte », dans son « cher grand fond Malampia » où elle gisait nue, depuis vingt-cinq ans, dans une pourriture infecte. La mère mourut en prison avant le procès. Le frère fut d'abord condamné, puis acquitté en appel. La preuve fut faite qu'il avait été dominé par sa mère ; que, comme tout le reste de la famille, il montrait un goût prononcé pour la solitude et les odeurs nauséabondes, et que Mélanie avait été généreusement nourrie de poulets, de filets de sole au vin dans les déchets desquels, autour de son lit, grouillaient cafards et vers. Gide n'apporta guère de commentaires à cette affaire ; peut-être comprit-il que la cause secrète d'une telle monstruosité ne pouvait être trouvée que dans la psychologie de Freud, qu'il avait qualifié « d'imbécile de génie ». La première mention qu'il fit de l'affaire de Poitiers remonte à 1926 ; mais sans doute avait-il déjà pris des notes à ce sujet et conservé dans ses dossiers les coupures des journaux de 1901 s'y rapportant. En ce cas, il est significatif que Gertrude, dans *La Symphonie pastorale*, soit découverte par le pasteur dans un état semblable de saleté repoussante et d'idiotie apparente ; et que le surnom donné par son frère à Mélanie dans leur enfance ait été Gertrude.

Après *La Séquestrée de Poitiers*, Gide abandonna la collection de dossiers criminels. Évidemment, il eût été impossible d'aller plus loin dans l'horreur, et inutile, étant allé aussi loin, d'apporter quelque chose de moins sensationnel. D'ailleurs de tels sujets, bien que la vérité et la lucidité avec lesquelles ils étaient présentés fussent esthétiquement valables et typiquement gidiens, ne sont que la matière première de l'artiste. Mais la principale raison de ce changement de direction de Gide fut que son imagination s'empressa de passer du particulier au général, du mal isolé des bas-fonds de l'individu au mal collectif des bas-fonds de l'humanité. Le pendule gidien passait de Dostoïevski à Marx.

Durant les cinq années qui suivirent son retour du Congo, les principaux symptômes de la nouvelle crise morale de Gide qui apparaissent dans son *Journal* ne sont pas les allusions, si nombreuses soient-elles, à l'injustice sociale, mais celles, beaucoup plus fréquentes, à la religion, à la lutte (car il considérait maintenant ces deux notions comme opposées et hostiles) entre le christianisme et le catholicisme, entre la liberté et l'autorité, la joie et la mélancolie. Son sentiment de l'approche de la vieillesse et du déclin des désirs charnels était aussi pour quelque chose dans

son nouvel altruisme, mais ce sentiment était grandement illusoire car la jeunesse et le désir revinrent toujours. Toutefois, comme il le fit observer : « Les désirs
perdus laissent le chemin ouvert à la moralisation ».
Ce vieux combat, ravivé par les nouvelles conversions
de ses amis [1] et leurs nouveaux efforts pour le convertir, est le sujet manifeste, mais non pas peut-être, le
sujet véritable, d'*Œdipe*.

La pièce de Gide fut commencée en juin 1929, achevée
en novembre 1930 et publiée en 1931. Comme Sophocle
avant lui, il suivit de près l'immuable légende. Œdipe,
roi de Thèbes, poussé par le prophète aveugle Tirésias,
découvre que l'homme qu'il a tué dans un geste de
légitime défense était son père et que la femme qu'il
a épousée est sa mère. Par expiation, il se crève les
yeux et part en exil. Mais Gide, avec une extraordinaire
ingéniosité, tisse un réseau de parallèles entre la condition d'Œdipe et la sienne. La lutte entre Œdipe et
Tirésias représente le conflit de Gide avec ses amis et
ennemis catholiques. Tout comme Jammes et Claudel
autrefois, Tirésias cherche à le persuader que son âme
est malade ; comme du Bos, qu'il est malheureux. Et,
comme l'enfant prodigue, Œdipe subit une défaite spirituelle (mais du fait qu'elle est volontaire, c'est une
demi-victoire) contre laquelle, pour sa part, Gide était
bien immunisé. De manière moins apparente, mais
peut-être plus fondamentale, *Œdipe* est une tragi-
comédie de la famille, à l'exemple de tant d'œuvres
de Gide ; et qui pourrait mieux personnifier ce thème

---

1. Notamment Copeau et Charles du Bos. A propos du tendancieux
et blessant *Dialogue avec André Gide* de ce dernier, Mme Théo van
Rysselberghe déclara : « Il fait son salut sur votre dos. »

que celui-là même qui donna son nom au complexe
d'Œdipe ? Les personnages de Gide, par un anachro-
nisme ironique, sont très au courant des théories de
Freud. Étéocle — tel père, tel fils — a des desseins sur
sa sœur Ismène, mais « je refoule », dit-il avec suffisance. Et lorsque Polynice déclare qu' « il y a des tas
de choses auxquelles nous pensons sans le savoir »,
Étéocle réplique : « C'est de quoi nos rêves sont faits ».
Les fils d'Œdipe représentent tous ces jeunes disciples
embarrassants qui, dans les années 20, avec vingt ans
de retard, adoptèrent « l'inquiétude », qui avait été le
mot de passe de Gide autour de 1900. En 1924,
Marcel Arland avait écrit *Le Nouveau mal du siècle* ; en
1926, Daniel-Rops sur *Notre Inquiétude* ; et Étéocle
écrit précisément un traité sur *Le Nouveau mal du
siècle, ou notre inquiétude.* « De mon exemple », dit
Œdipe, « ils n'ont appris que ce qui les flatte, les auto-
risations, la licence, laissant échapper la contrainte :
le difficile et le meilleur. » Et cette situation d'Œdipe,
symbole d'une maladie que tout homme porte dans
son inconscient, active ou enkystée, est une allégorie
de la mort prématurée du père de Gide, de son mariage
à moitié incestueux avec sa cousine [1] dès la mort de
sa mère. « J'ai pour elle un amour quasi filial et conju-
gal à la fois », déclare Œdipe en parlant de Jocaste.
Enfin, l'aveuglement d'Œdipe et son exil qui, faisant
de lui l'égal de l'aveugle Tirésias, semblent être son
ultime défaite, représentent en réalité la mission communiste de Gide. C'est le châtiment et l'abandon de son

---

1. Tout comme la détresse de Jocaste, lorsque Œdipe insiste pour
confesser publiquement son crime, est un écho de celle de Madeleine à la publication de *Corydon* et de *Si le grain ne meurt.*

ancienne cécité égoïste face à la réalité, et l'acceptation d'une nouvelle discipline. « Un grand destin m'attend », déclare Œdipe, « le temps de la quiétude est passé » ; et « je suis un voyageur sans nom, qui renonce à ses biens, à sa gloire, à soi-même ».

L'œuvre suivante de Gide, bien que tirée, elle aussi, de la mythologie grecque, est une parabole encore plus claire de la nécessité du communisme. En juillet 1934, Copeau et Ida Rubinstein mirent en scène *Perséphone*, un ballet chanté sur un livret en vers de Gide, avec une chorégraphie de Kurt Jooss et une musique de Stravinsky. Selon la légende grecque, Perséphone habite six mois de l'année parmi les ombres des Enfers, auprès de son mari et ravisseur Pluton, et abandonne la terre à un hiver sans joie. Puis elle revient pour six mois, en déesse du printemps, apportant avec elle les fleurs, la joie et, avec son deuxième mari Triptolème, la moisson nouvelle. Mais Gide, une fois de plus, a tiré une allégorie personnelle de ce mythe grec.

> Comment pourrais-je avec vous, désormais,
> Rire et chanter, insouciante,
> A présent que j'ai vu, à présent que je sais
> Qu'un peuple insatisfait souffre et vit dans l'attente ?
> O peuple douloureux des ombres, tu m'attires
> Vers toi, j'irai...

dit Perséphone. Gide avait visité peu de temps auparavant une mine de charbon. Les prisonniers aux Enfers sont les travailleurs, les mineurs, les classes « inférieures ». Et Perséphone, qui voit leur misère dans le calice d'un narcisse, la fleur de Gide, est Gide lui-même. C'est en partie en regardant en lui-même qu'il découvrit la nécessité d'une révolution sociale. Et

Perséphone retrouve son amour de la terre en mordant dans une grenade, le fruit de la terre dont Gide avait célébré la saveur dans sa jeunesse, quarante ans plus tôt. Les vers de Gide sont un délicieux et parfait mélange de Racine et de Valéry qui s'harmonise très bien avec le côté Gluck modernisé de la musique de Stravinsky.

En 1935, Gide publia sa seule œuvre capitale écrite durant la période communisante. Quelques pages des *Nouvelles Nourritures* étaient déjà parues en 1921 [1]. Cette fois encore, dans le pressentiment erroné de sa mort prochaine, il voulut que son livre fût un testament de sa vieillesse comparable aux *Nourritures terrestres* de sa jeunesse. Les premières *Nourritures* parlaient d'une joie revenant à celui qui rejette le côté sombre de l'existence humaine. Puis Gide s'était aussitôt tourné vers la connaissance personnelle de ces dures réalités, la cause et l'objet de sa vieille « inquiétude » et désormais il ne pouvait plus les ignorer chez les autres. Les *Nouvelles Nourritures* réaffirment la doctrine du premier livre, augmentée, affrontée et conciliée avec les nouveaux thèmes de souffrance, de mort, de vieillesse, de religion, de « questions sociales », de devoir, de progrès ; et le drame de son livre réside dans les victoires remportées une à une par le *credo* de joie sur la dure réalité qui, semble-t-il, aurait bien pu le vaincre. Et pour compléter ces victoires, le vieux *credo* est modifié par le concept du bonheur associé non plus à la liberté, mais à la soumission à un devoir, à l'héroïsme. « Le bonheur de l'homme n'est pas dans la liberté, mais dans l'acceptation d'un devoir », écrivit

1. Dans les *Morceaux choisis* de Gide.

Gide dans sa préface à *Vol de nuit* de Saint-Exupéry. Longtemps auparavant, en 1910, il s'était écrié : « Barrès ! Barrès ! Que ne comprenez-vous que ce dont nous avons besoin, ce n'est pas de confort (et j'entends : du confort de l'esprit), c'est d'héroïsme ».

La ligne stratégique est tout d'abord délimitée par un nouvel alignement des forces de la joie, aussi vives qu'autrefois, mais mûries, vieillissantes même. Une grande partie du livre premier fut sans doute inspirée par la renaissance, au début des années vingt, de l'extase, qui fut due à l'amitié de Marc Allégret. Le texte est émaillé de vers éthérés à la manière des *Illuminations* de Rimbaud. Mais déjà la tragique opposition est annoncée par une série de « rencontres » en prose : un pauvre nègre errant dans Paris, un éleveur de poissons tropicaux qui n'est pas apprécié à sa juste valeur, un fou dans un asile d'aliénés, une enfant noyée, Jean-Paul, le frère de Marc Allégret, mourant de tuberculose dans un sanatorium [1]. « Mais pourquoi ce récit dans un livre que tu consacres à la joie ? », demande Nathanaël, et Gide répond : « En vérité, le bonheur qui prend élan sur la misère, je n'en veux pas ».

Désormais, le bonheur de l'individu n'est plus nécessaire parce qu'il y a droit, mais par souci d'autrui. « Ne peut rien pour le bonheur d'autrui celui qui ne sait être heureux lui-même. » « Mon bonheur est d'augmenter celui des autres. J'ai besoin du bonheur de tous pour être heureux. » Et sa joie, si elle n'est pas diminuée, est transposée, du présent dans lequel il l'éprouve, à l'époque où les autres la partageront. Pour la première fois, Gide prononce avec lyrisme le mot

1. A Arcachon, où Gide lui rendit visite en 1930.

« avenir », jusque-là suspect. « Je me penche sur le gouffre avenir sans vertige. » « La réalité de demain doit être faite de l'utopie d'hier et d'aujourd'hui. » Sa raison, affirme-t-il, a rejoint son cœur « sur la pente du communisme » ; et cette pente (il fait allusion à la maxime que Bernard accepte d'Édouard dans *Les Faux-Monnayeurs*) lui apparaît « une montée ». C'est la seule occasion où, dans *Les Nouvelles Nourritures*, il nomme le communisme, mais désormais il appelle Nathanaël « camarade ».

Gide réaffirme son amour pour le Christ, Messie du bonheur. « La première parole du Christ est pour embrasser la tristesse même dans la joie : « Heureux ceux qui pleurent ». Et comprend bien mal cette parole, « celui qui n'y voit qu'un encouragement à pleurer. » « C'est vous, Seigneur Christ, que je retrouve partout, alors que je croyais vous fuir, ami divin de mon enfance. » Sa foi en Dieu atteint son point le plus bas dans *Les Nouvelles Nourritures* et cependant elle survit de manière ambiguë. Il y a un dialogue avec Dieu dans lequel le malicieux Tout-Puissant ressemble étrangement au Millionnaire du *Prométhée mal enchaîné*. Pourtant, même à présent, Dieu, « ce confus amas de notions, de sentiments, d'appels, et de réponses à ces appels qui, je le sais aujourd'hui, n'existaient que par et qu'en moi, tout ceci me paraît aujourd'hui beaucoup plus digne d'intérêt que le reste du monde, et que moi-même et que toute l'humanité ». Cependant la religion est à présent l'ennemie non seulement de la vérité et de la liberté, mais du progrès. La dernière phrase du livre est significative : « Ne sacrifie pas aux idoles ». Bientôt il allait renier avec indignation son propre sacrifice à une autre idole qu'il avait prise, provisoirement, pour un vrai Dieu.

A une certaine époque, au début des années 20, lorsque la conversion de Gide au catholicisme avait de nouveau paru imminente, un ami catholique avait fait observer : « J'espère que cela n'arrivera pas trop tôt, parce que ce ne serait pas pour longtemps ». Il en fut exactement ainsi pour le communisme de Gide, sa seule conversion [1] et par conséquent son unique faux pas. Toutefois ce faux pas fut un malentendu, non une contradiction. Il ne fut pas question, pour Gide, d'arriver à croire, puis de cesser de croire, en un principe. Il fut convaincu par ouï-dire que le principe auquel il croyait déjà était incarné dans la Russie soviétique. Gide fut converti non pas tant au communisme qu'à l'illusion que les communistes étaient déjà gidiens.

Pour la première fois de sa vie, Gide eut le tort de croire ce qu'il voulait bien croire. Cependant les causes de cette soumission contribuent beaucoup à l'excuser. Il avait toujours soutenu que le royaume des cieux devait s'établir sur cette terre et non pas s'ajourner jusqu'au-delà de la tombe. Ses amis communistes français, Dabit, Jef Last, Pierre Herbart, Malraux étaient des hommes intelligents, sincères et de bonne volonté. Comment aurait-il pu prévoir qu'en partageant leurs idéaux, il partagerait leur méprise ? A cette époque, l'Union Soviétique cherchait à séduire les intellectuels occidentaux en ne leur disant que ce qu'ils souhaitaient entendre. Les dénonciations du capitalisme par

1. Le mot « conversion » est commode, mais pas tout à fait exact ; Gide lui-même le rejeta et écrivit simplement « adhésion », « ralliement », « décision ».

Staline étaient, Gide le savait, parfaitement justifiées ;
et celui qui connaissait si bien les ruses du démon
oublia que c'est souvent Satan lui-même qui sait le
mieux répandre le péché.

Dans son *Journal*, et dans les rares occasions où il
prit la parole en public. Gide exposa clairement la
nature particulière du communisme auquel il donnait
son « adhésion ». « De ceux-là seuls je me sens frère,
qui sont venus au communisme par amour », écrivit-il,
et il ajouta : « Ce qui m'amène au communisme, ce
n'est pas Marx, c'est l'Évangile ». Il approuva également la boutade de Marx : « Je ne suis pas marxiste ».
Déjà il éprouvait des craintes. « Tout comme celle au
catholicisme, la conversion au communisme implique
une soumission à un dogme, la reconnaissance d'une
orthodoxie. Or toutes les orthodoxies me sont suspec-
tes. » En 1934, il adressa un message au congrès des
écrivains soviétiques qui se réunissait en Russie, dans
lequel il affirmait que sur le plan intellectuel, la tâche
de l'U. R. S. S. était d'inaugurer un « individualisme
communiste » en art et en littérature. Mais le document le plus révélateur, en dehors du *Journal*, est le
compte rendu (publié sous le titre *André Gide et notre
temps*) d'un débat public qui réunit en 1935 Gide,
Massis, Mauriac, Maritain et quelques autres. « Que
l'entente de l'art et de la doctrine communiste soit possible, je veux le croire », déclara-t-il, « mais il me faut
avouer que le point d'accord et de fusion, je n'ai su
jusqu'à présent l'obtenir. C'est pourquoi je n'ai plus
rien produit depuis quatre ans [1]. Qu'il y ait sacrifice,

---

1. Gide ne publia rien entre *Œdipe*, 1931, et *Les Nouvelles Nourritures*, 1935.

cela n'est pas douteux. » Massis observa une grande
modération — Gide aussi — et la réunion se déroula
sans incident désagréable. A la vérité, ce qui ressortit
de ce débat, ce fut l'inquiétude sincère marquée par les
adversaires de Gide en voyant leur cher ennemi s'en-
gager dans une voie aussi dangereuse. Ce sentiment
était partagé par ses amis de la *N. R. F. :* « Votre
pensée est prête à des affirmations qui sont de purs
actes de foi », écrivit Jean Schlumberger dans un édito-
rial, « il faudrait d'abord y aller voir ». En juin 1936,
après un court voyage en Afrique occidentale, Gide
releva le défi et visita la Russie en compagnie de Dabit,
Jef Last, Herbart et d'autres invités, comme lui, par
le gouvernement soviétique.

En Russie, il espérait voir un pays où chacun serait
heureux. Cet éternel voyageur ne s'était jamais mis en
route vers une contrée plus fabuleuse, mais jamais
auparavant il n'avait été déçu. Ce qu'il faut savoir, c'est
à quel point le choc de sa déception a déformé le récit
de son voyage dans *Retour de l'U. R. S. S.* Gide rap-
porte des faits, mais le lecteur risque d'être davantage
sensible à la nuance d'amertume, d'espoir trahi avec
laquelle il les expose. Certains de ses griefs sont certainement injustes : il en avait déjà prévu et réfuté plusieurs — il s'agit, en fait, des griefs habituels contre
les Soviets — dans son *Journal* du 30 janvier 1932.
L'inefficacité industrielle, l'onanisme, un problème,
de logement non résolu ne sont pas propres à la
Russie et peu de gens, sauf Gide — ou Ménalque —
reprocheraient aux Soviets de n'être pas parvenus à
détruire la famille. Il est également curieux de voir
qu'à son arrivée tous les visages rencontrés rayon-

naient d'énergie et de joie, alors que, plus tard, quand sa foi s'est éteinte, tous lui paraissent opprimés, stupides, désespérés. Mais la justesse de son accusation est telle qu'il faudra la guerre froide du stalinisme d'après guerre pour en révéler toute l'exactitude et la surprenante actualité. A maintes reprises, 1936, avec la lucidité de Gide, nous rappelle 1950 et 1960 : lorsqu'il note que le gouvernement soviétique veut convaincre le peuple que les gens sont moins heureux dans les autres pays, et que pour cette raison toute communication avec le monde extérieur est rendue impossible ; le remplacement du vieil esprit révolutionnaire par un nouveau conformisme ; l'obligation pour les musiciens et les écrivains de suivre la ligne du parti.

Dans *Retour de l'U. R. S. S.* et *Retouches à mon retour de l'U. R. S. S.*, Gide s'empressa d'avouer son erreur. C'est peut-être la rapidité nécessaire de leur composition, autant que leur nature concrète et politique ainsi que leur amertume rageuse, qui font que ces deux ouvrages sont les seuls parmi ses livres presque dénués d'intérêt littéraire. C'est la dernière offrande du long sacrifice de son art aux « préoccupations sociales (...) lorsqu'elles ont commencé d'encombrer ma tête et mon cœur, je n'ai plus rien écrit qui vaille [1] ». « Si je me suis trompé d'abord, le mieux est de reconnaître au plus tôt mon erreur ; car je suis responsable, ici, de ceux que cette erreur entraîne. » Et il observa son devoir primordial envers la vérité, car « c'est à la vérité que je m'attache, si le Parti la quitte,

---

1. *Journal*, 6 septembre 1936.

je quitte du même coup le Parti [1] ». Mais, encore une
fois, ce n'était pas la révolution qu'il condamnait,
c'était la trahison de la révolution. « Les erreurs particulières d'un pays ne peuvent suffire à compromettre
la vérité d'une cause internationale, universelle. »
Cependant, puisqu'il fallait attendre que la révolution
authentique vienne d'ailleurs que de la Russie, Gide se
tourna de nouveau vers l'Évangile, qui l'avait conduit
au communisme. « Le flanchage du communisme res-
titue au christianisme sa portée révolutionnaire. »
Regardant vers le passé, il écrivit dans son *Journal* le
7 février 1940 : « Lentement, j'en arrivais à me
convaincre que, lorsque je me croyais communiste,
j'étais chrétien ».

A la suite de la parution de son livre, la *Pravda* lui
fit un compliment involontaire : « Gide est le représentant typique d'une bourgeoisie décadente ; c'est un
individualiste ». Et lorsque Gide, voyageant en Italie
en août 1937, vit le mot d'ordre : « Croire, obéir, com-
battre » écrit à la craie sur tous les murs, il fit observer
que ces mots auraient pu tout aussi bien convenir à
Moscou qu'à l'Italie.

---

1. Cette déclaration ne doit pas être entendue littéralement, car
Gide n'appartint jamais au Parti communiste.

CHAPITRE X

LA FIN DU MARIAGE

ET NUNC MANET IN TE

> « Hier soir je pensais à elle ; je parlais avec elle, comme je faisais souvent, plus aisément en imagination qu'en sa présence réelle ; lorsque soudain je me suis dit : mais elle est morte... »

> *Et nunc manet in te.*

Entre les pages d'avril et d'août 1938, une épaisse ligne noire barre le *Journal* de Gide. Ce symbole de deuil et de catastrophe marque la mort de Mme Gide, survenue le 17 avril, et les mois où il note « désarroi, détresse et désespoir », « afin que plus tard se sente moins seul dans sa détresse tel autre, désespéré comme moi, qui me lirait », sont les passages les plus émouvants des soixante années des journaux de Gide. Il passa l'été à Cuverville, la maison de l'enfant prodigue, où son épouse avait toujours vécu et où il était toujours revenu. « Depuis qu'elle n'est plus là », gémit-il, « m'importunent les invitations au bonheur ». Sa liberté est « semblable à celle du cerf-volant dont on aurait coupé la corde » ; il s'est écrasé au sol. Mais lorsqu'elle vivait, il n'avait jamais permis que l'amour de sa femme faussât sa pensée ; « je ne dois pas, à présent qu'elle n'est plus, laisser peser sur ma pensée, plus que son amour même, le souvenir de cet amour ». « Si je ne parviens pas à rejoindre la sérénité, ma philosophie fait faillite. »

Il n'est pas facile d'être la femme d'un grand écrivain ; il n'est pas plus facile pour un grand écrivain de persister dans le mariage. L'opinion générale (qu'elle soit pour ou contre l'homosexualité) s'est fait, à partir de *L'Immoraliste* et de *Corydon* — et même du repentant *Et nunc manet in te* — une image déformée du mariage de Gide. En dépit de la phrase bien connue de février 1912[1], le véritable témoignage sur son mariage se trouve dans le *Journal* de Gide. Il faut donc l'analyser avec attention et en toute bonne foi pour répondre à la calomnie, et à cause de son importance intrinsèque dans la vie et l'œuvre de Gide. Lorsque nous aurons déterminé les constantes et l'évolution de sa vie conjugale, nous pourrons procéder, comme il le fit lui-même, à l'appréciation de ses conséquences[2].

---

1. « Une des meilleures conversations que j'aie jamais eues avec Em. Mais de tout ce qui touche à Em., je me défends de parler ici. »

2. Plusieurs des principaux passages seront cités ici ; mais pour plus de détails, on peut consulter l'index du *Journal* au nom de Madeleine Gide. Après la mort de Gide, d'autres renseignements furent apportés par la parution de *Et nunc manet in te* et des passages jusque-là inédits du *Journal*. Voir aussi *Madeleine et André Gide*, de Jean Schlumberger (un livre sincère, équitable dans ses intentions, bien qu'avec un certain préjugé en faveur de l'épouse au détriment du mari), qui contient des extraits de lettres de Mme Gide.

Nous avons déjà évoqué la période de 1890 et nous en avons conclu que, bien que *L'Immoraliste* ait décrit un conflit réel entre la liberté et le devoir, Gide fut un mari moins cruel que Michel et Mme Gide une épouse moins mal traitée que Marceline [1]. Les deux époux voyagèrent la plupart du temps ensemble jusqu'à ce qu'ils en fussent empêchés par l'état de santé de Mme Gide : ce fut leur lune de miel. Entre 1898 et 1900, l'époque où il rôdait sur les boulevards et celle du mystérieux abandon de La Roque, Gide revendiqua sa liberté sexuelle et fit quelques concessions sur les voyages. La Tunisie fut abandonnée en 1903, mais remplacée par des visites en Italie : le *Journal* en mentionne sept de 1908 à 1914 ; au cours de deux d'entre elles, Gide note qu'il écrit chaque jour à sa femme. Ce fut l'époque de la suprématie de Cuverville, la demeure où retourne l'enfant prodigue. Parlant de sa vie avec sa femme en ce lieu, Gide écrivit en 1906 : « Sa tendresse, sa poésie font autour d'elle une sorte de rayonnement où je me chauffe, où se fond mon humeur chagrine. » Quand l'envie de voyager le reprit, ce ne fut pas sans une pointe de regret : « Em. ne peut savoir combien mon cœur se déchire à la pensée de la quitter, et pour trouver loin d'elle du bonheur, partir ne me suffisait pas ; il me fallait, en plus, que Em. approuvât mon départ [2] ». Pendant la première moitié de la guerre, l'angoisse commune, l'impossibilité de voyager et leurs œuvres de charité — les siennes à Cuverville, celles de Gide à Paris, les rappro-

1. Et moins molle de caractère — Nous avons la forte image d'Alissa à opposer à celle de Marceline.
2. *Journal*, novembre 1904.

chèrent. En 1917, Gide constata avec satisfaction que
le quart de leurs dépenses annuelles avait été constitué
par des « dons ». Depuis leur mariage jusqu'à cette
époque, ils allèrent régulièrement ensemble au théâtre,
dans les musées, et Gide avait conservé de son enfance
le goût de faire la lecture à sa cousine afin de ressentir
une émotion esthétique par l'esprit de sa femme en
même temps que par le sien. Il n'existe pas de meilleure preuve de la persistance, relative, de l'intimité
spirituelle de leur enfance. Toutefois, quelques années
après, leur mariage allait être assombri sans être
encore définitivement détruit.

En 1916 se produisit la crise bientôt suivie d'une
autre plus grave encore qui, jointe à la découverte de
la lettre compromettante de Ghéon par Mme Gide, constitue le drame intime et secret de *Numquid et tu...* ?
Gide espérait passer l'hiver auprès de son nouvel
amour, Élisabeth van Rysselberghe — qui devait servir
partiellement de modèle pour Gertrude dans *La Symphonie pastorale* et pour Laura dans *Les Faux-
Monnayeurs* — mais, écrivit-il [1], « je ne songe plus
qu'à renoncer à ce projet comme à tant d'autres, puisqu'il faudrait acheter aux dépens du sien mon bonheur ». Et il ne partit pas. Toutefois il ne renonça
pas à son projet suivant et accepta d'en payer ce prix-
là. A partir de 1917, ce fut pour Marc Allégret que
Gide s'évada souvent de Cuverville. Le 21 novembre 1918, peu après son retour des quatre mois de
séjour en Angleterre avec Marc, Gide apprit la terrible
destruction de ses lettres par laquelle sa femme expri-
mait son refus de croire non seulement à son amour

1. *Journal,* 7 octobre 1916.

présent pour elle, mais au pur amour de leur jeunesse.
En janvier 1923, elle fut affligée par « ce qu'elle ne
pouvait considérer autrement que comme une catastrophe très lamentable » : la naissance de Catherine,
la fille d'Élisabeth van Rysselberghe. « J'ai toujours
pensé qu'il était fâcheux qu'Élisabeth fût élevée sans
religion », déclara-t-elle sèchement. Connaissait-elle
l'identité de ce « père inconnu » que portait la déclaration de la naissance ? Plusieurs années plus tard, Gide
confia à Claude Mauriac : « Je n'ai jamais pu savoir
si elle avait des doutes ou même une certitude ». Mais
une intuition l'avait avertie avant même la conception
de l'enfant, au mois de juillet précédent, alors que Gide
était à Hyères en compagnie d'Élisabeth van Rysselberghe. Gide eut cette impression lorsque, le 7 août,
il reçut une lettre de sa femme dans laquelle elle lui
apprenait qu'elle avait donné à sa filleule, Sabine
Schlumberger, la chaîne en or et la petite croix d'éme-
raudes qu'elle avait portées enfant, comme Alissa dans
La Porte étroite. Par une cruelle ironie du sort, elle
avait dit en 1894, alors qu'elle était encore résolue à
ne pas l'épouser : « Si André a une fille et si je suis sa
marraine, je lui donnerai ma petite croix ». Et quand
Catherine naquit, Madeleine Gide n'eut qu'à compter
les mois, bien qu'il n'y en eût que sept.
   Durant les quelques années qui suivirent, leur éloignement leur offrit une trêve, douloureuse et sans issue,
mais qui évita une nouvelle aggravation dans leurs
rapports. Toutefois, cet éloignement ne fut qu'unilatéral. « Elle agit sans cesse avec moi comme si je ne
l'aimais plus ; et j'agis avec elle comme si elle m'aimait encore », écrivit-il, et : « Je n'ai pas cessé de

l'aimer, même au temps où je semblais et où elle était
en droit de me croire le plus loin d'elle, de l'aimer
plus que moi-même, plus que la vie ; mais je n'ai plus
pu le lui dire. » Les manifestations de sa détresse
devinrent, peut-être inconsciemment, les instruments
de la revanche passive de Madeleine Gide. Elle détruisit sa beauté, négligea sa santé et abandonna la musique et la lecture (surtout des livres de son mari) pour
les travaux domestiques et les brochures pieuses. Lorsque Gide fut engagé dans son conflit avec le catholicisme qui lui avait pris ses amis, sa femme, peu à
peu, devint catholique, sans toutefois entrer officielle-
ment dans le sein de l'Église. Dans leur lutte atroce,
de son côté pour la forcer à accepter son dévouement,
du côté de sa femme pour désapprouver l'existence
même de ce dévouement, ils s'infligèrent mutuellement
les plus cruelles souffrances ; car si la conduite de chacun se mesure à son effet sur l'autre, on peut dire
que Mme Gide a rendu coup pour coup.

« L'approbation d'un seul simple honnête homme,
c'est cela seul qui m'importe, et que ton livre n'obtien-
dra pas », lui déclara-t-elle pour exprimer son hostilité
aux œuvres (*Corydon, Si le grain ne meurt, Les Faux-
Monnayeurs*) dans lesquelles Gide a livré son message
le plus important et où, d'après sa femme, il se
révélait trop ouvertement : « Ah ! si tu étais invul-
nérable, je ne tremblerais pas. Mais tu es vulnérable,
et tu le sais ; et je le sais », lui dit-elle [1], entendant par
ces terribles paroles non seulement qu'il s'était exposé
aux attaques de ses ennemis, mais que celles-ci seraient
justifiées. « Vulnérable... », commenta Gide, « je ne le

1. *Journal*, 3 janvier 1922.

suis, je ne l'étais que par elle. Depuis, tout m'est égal
et je ne crains plus rien. Qu'ai-je à perdre à quoi je
tiens encore ? » « La partie est perdue, que je ne pouvais gagner qu'avec elle », écrit-il le 12 mai 1927 et il
la compare à Créuse, Eurydice et Ariane, ces épouses
qui traînent en arrière pour obliger leurs compagnons
à se retourner. Toutefois, il ne faut pas exagérer cet
éloignement qui est surtout marqué par la disparition
de Mᵐᵉ Gide du *Journal* entre 1924 et 1928 ; il ne faut
pas en conclure à une séparation, car durant toute
cette période, Gide continua à venir à Cuverville aussi
souvent.

Dans un petit journal, le premier que Mᵐᵉ Gide tint
depuis son enfance durant le voyage de son mari au
Congo, on peut noter un regain de tendresse tandis
qu'elle imagine ses périples, prie pour sa sauvegarde
et souhaite son retour. A cette époque, elle était de
taille à affronter le puissant Claudel lui-même, qui,
croyant vainement découvrir une ultime chance de
convertir son cher ennemi, l'invita à venir s'entretenir
avec lui « d'une âme qui vous est chère, et dont Dieu
a mis la clef entre vos mains ». Elle lui répondit avec
une admirable loyauté : « Tous ceux qui aiment André
Gide, comme mérite d'être aimée cette âme très noble,
doivent prier pour lui. Je le fais chaque jour — et
vous aussi, n'est-ce pas ? — C'est ainsi, je crois, que
pour son plus grand bien, nous nous rencontrerons
le mieux ». Pour leur anniversaire de mariage, elle
écrivit en 1928 : « Je pense que plus tard, quand nous
connaîtrons toutes choses, nous saurons que le 8 octobre n'était pas une erreur, comme je l'ai pensé il y a
dix ans, dans la douleur et l'amertume des jours ».

Et soudain, en 1929, la réconciliation a lieu. Gide et sa femme visitent de nouveau les musées et les lectures à haute voix reprennent pour ne s'interrompre que peu de temps avant la mort de Madeleine. Dans les années 30, il entreprend à plusieurs reprises d'inventorier ce qu'il a gagné par la contrainte de sa femme. « Ma pensée a gagné en profondeur et en largeur ce qu'elle perdait en pointe et en élan[1] » ; « sans Em. qui orientait mes pieuses dispositions, je n'eusse écrit ni *André Walter*, ni *L'Immoraliste*, ni la *Porte étroite*, ni la *Symphonie pastorale*, etc., ni même peut-être, les *Caves* et les *Faux-Monnayeurs* par regimbement et protestation[2]. » Pareillement, il avait écrit dans son *Journal* le 9 juin 1928 : « C'est pour lui (Marc Allégret), pour conquérir son attention, son estime, que j'écrivis les *Faux-Monnayeurs*, de même que, tous mes livres précédents, c'était sous l'influence d'Em. ou dans le vain espoir de la convaincre ». Et le 6 janvier 1933, dans le *Journal* : « Chaque fois que je la revois, c'est pour sentir à neuf que je n'ai jamais vraiment aimé qu'elle ; et même, parfois, il me semble que je l'aime plus que jamais ». Cinquante ans après, le « mystique orient » de sa vie qu'il avait découvert dans la chambre de sa cousine demeurait inaltéré.

Le rôle de Mme Gide fut important, non tant parce qu'elle apporta à Gide quelque chose de neuf que parce qu'elle l'aida à ne pas perdre ce qu'il possédait. Avant son mariage, à l'époque d'*André Walter*, il avait déjà la grande piété, le sens de la valeur du devoir, de la contrainte et du sacrifice qui caractérisaient sa cousine.

1. *Journal*, 29 juin 1930.
2. *Journal*, 16 juin 1931.

Lors de sa libération tunisienne, et plus tard encore, il courut le danger de perdre tout cela : il se maria et l'influence de sa femme, perpétuant dans une forme assimilable celle de sa mère disparue, rendit possible « l'oscillation gidienne » et enrichit infiniment son œuvre et sa vie. Sans cette force centripète, il aurait pu, dans une liberté totale, dégénérer en un Ménalque, un Wilde. Elle transforma la parabole de Gide en une orbite. Son cousin Paul Gide avait été stupéfait d'apprendre que Gide avait voulu emmener sa femme faire de l'alpinisme avec lui, et Gide lui avait déclaré : « Ce qui m'importe, ce n'est pas d'aller loin moi-même, mais d'emmener quelqu'un d'autre avec moi. » Si elle n'avait pas consenti à le suivre, ou du moins à attendre son retour, il serait allé trop loin ou bien n'aurait jamais voyagé. Au point de départ, tout au début des années 80, deux enfants avaient lu ensemble sous la lampe jusqu'à ce que chacun devienne l'autre dans une rare et indestructible union de l'âme. Ils résolurent de s'épouser et vécurent à leur pleine mesure l'angoisse profonde, et l'harmonie plus profonde encore de leur mariage. Finalement, aucun des deux ne regretta d'avoir accompli sa destinée.

A l'automne de 1938, quelques mois après la mort de sa femme, Gide entreprit de raconter l'histoire secrète de leur union dans *Et nunc manet in te*, qu'il acheva en février 1939 à Louxor, en Égypte, passant selon une manière bien à lui de son ouvrage à ses amours idylliques avec le petit Ali et les jeunes jardiniers de son hôtel et relatant ces amours dans ses *Carnets d'Égypte*. Comme il l'avait fait pour *Corydon*, il protégea son livre de toute mésaventure possible —

revirement de pensée de son vivant ou expurgation posthume — en faisant imprimer personnellement en 1947
treize exemplaires qu'il distribua à ses amis ; tandis
qu'une édition destinée au grand public parut, comme
il l'avait voulu, peu après sa mort en 1951. Le titre
— « Et maintenant elle survit en toi » — est tiré d'un
poème de Virgile, le *Culex*, et traduit la certitude, conso-
lante et vraie, que la bien-aimée disparue continue de
vivre dans le cœur et dans le souvenir de l'affligé,
plutôt que (comme un ami indigné le supposa) « le
point de vue étroitement égocentrique » selon lequel
la mort avait désormais fait disparaître Madeleine Gide
pour tout le monde excepté Gide. Au contraire, celui-ci
fit en sorte, avec tout le remords possible, que la
présence réelle de sa femme, avec toutes ses qualités
et ses peines, ne fût pas enfouie dans la tombe. Comme
ce fut si souvent le cas, son titre est à double sens
et les mots « et maintenant elle survit en toi » s'adres-
sent également au lecteur attentif de son livre.

Seuls les pharisiens voient en *Et nunc manet in te*
un livre scandaleux ou déprimant. Ce n'est pas l'histoire d'un crime, ou même de deux crimes, mais celle
héroïque et exemplaire d'une tragédie. Gide et sa
femme, comme tous les couples mariés (ainsi que
T. S. Eliot semble le dire dans *Cocktail Party*) furent
prisonniers d'un dilemme et, au travers l'un de l'autre,
ils connurent la condition humaine, avec sa noblesse
et son désespoir, plus profondément qu'il n'est possible dans aucun autre rapport humain. Étant donné
leurs exigences particulières et leur destinée, ils ne
pouvaient ni l'un ni l'autre agir mieux qu'ils ne le
firent ; et leur combat pour la vertu fut ardent et

authentique, comme le furent leur amour, leurs souffrances. *Et nunc manet in te* est un document d'un
intérêt immense et éternel versé au dossier de la morale
humaine. C'est peut-être le plus douloureux, certainement pas le moins beau livre de Gide.

CHAPITRE XI

LA SÉRÉNITÉ

JOURNAL, INTERVIEWS IMAGINAIRES, THÉSÉE, AINSI SOIT-IL

> « Seul l'art m'agrée, parti de l'inquiétude, qui tend à la sérénité. »
>
> *Journal*, 23 novembre 1940.

En 1939, à l'âge de soixante-dix ans, Gide publia les cinquante premières années de son *Journal*. Certains le considèrent comme la plus grande de ses œuvres. C'est, en fait, comme il le dit lui-même, un réceptacle pour tout ce qu'il ne jugea pas assez valable pour être mis dans une œuvre d'art. Cependant il peut arriver que les fonds de tiroir d'un grand écrivain vaillent ses créations délibérées. L'intégrité de sa vie parfaitement harmonieuse sur le plan artistique, de son demi-siècle de production ininterrompue confère au *Journal* de Gide l'unité d'une œuvre d'art. Dans le *Journal*, sa prose, ailleurs plus consciemment polie, est un joyau de fluidité, de clarté, de netteté et d'esprit. Le *Journal* donne au lecteur le sentiment d'être plus intelligent,

plus observateur, plus sensuel, plus charitable, plus
libre ; vu sous l'angle de la fréquentation quotidienne
d'un génie en pleine réflexion et action, le *Journal* ne
peut être comparé qu'aux *Lettres* de Keats et à la
Correspondance de Flaubert.

« Me voici libre comme je ne l'ai jamais été ; libre
effroyablement, vais-je savoir encore « tenter de
vivre » ? », écrivit-il à la dernière page de son *Journal*[1]. Au printemps de 1939, il fit un voyage en Égypte
et en Grèce, où l'on peut voir un étrange parallèle
avec la marche turque de 1914, mais tandis qu'alors
il poursuivait un bonheur passé, cette fois il avait en
tête son futur *Thésée*. La guerre éclata. « Oui », écrivit-
il, « tout cela pourrait bien disparaître, cet effort de
culture qui nous paraissait admirable (et je ne parle
pas seulement de la française)... une bombe peut avoir
raison d'un musée ». Et pourtant « c'est en revendi-
quant la valeur du particulier, c'est par sa force d'in-
dividualisation que la France peut et doit le mieux
s'opposer à l'unification forcée d'hitlérisme ».

Pendant la guerre, Gide, âgé de soixante-dix ans,
organisa sa « résistance » personnelle — ce fut, à proprement parler, une résistance passive, mais aussi
héroïque à sa manière que celle des jeunes existentia-
listes. Cet amour de la patrie justifia son indépendance d'esprit. « Plus je me sens Français », écrivit-il
après avoir refusé de parler à la radio et de participer
à « ces émissions d'oxygène », « plus je répugne à
laisser s'incliner ma pensée. Elle perdrait, à s'enrôler,
toute valeur ». Il accueillit même favorablement le pre-

1. Allusion au dernier vers du *Cimetière marin* de Paul Valéry :
« Le vent se lève, il faut tenter de vivre ».

mier discours, apparemment noble, que Pétain pro-
nonça après la capitulation. « Depuis la victoire (de
1918), l'esprit de jouissance l'a emporté sur l'esprit de
sacrifice », ces mots auraient pu être prononcés par
Gide. Quelques jours plus tard, il entendit « avec stu-
peur » Pétain dénoncer la France libre et l'Angleterre.
« Ce déshonneur est bien la plus cruelle des défaites »,
s'écria-t-il. Toutefois la défaite et l'occupation n'étaient
que des malheurs provisoires — « A quoi bon se meur-
trir contre les barreaux de sa cage ? » — « Le risque
est beaucoup plus grand pour la pensée de se laisser
dominer par la haine. » « Cette fleur de la civilisation
doit être maintenue par une acceptation qui n'engage
nullement l'être même. » « Je me souviens qu'en 1914 »,
écrivit-il, « si l'on m'eût écouté, dans le jardin de
Cuverville l'on n'eût plus vu que des légumes. Combien
ma femme fut plus sage, qui n'admit point que l'on
en supprimât les fleurs ».

Pendant deux ans, Gide demeura un « émigré de
l'intérieur » dans le sud de la France, à Cabris avec
sa fille, à Nice ou à Vence avec la famille de Dorothy
Bussy, son incomparable traductrice et amie. Ses vieux
ennemis, y compris Béraud, collaborèrent activement.
Drieu La Rochelle, un fasciste sincère qui mérita peut-
être moins sa mort — il se suicida en 1945 — que d'autres qui échappèrent au peloton d'exécution, prit possession de la N. R. F. Il invita Gide à revenir à Paris,
celui-ci répondit par télégramme : « Sensible à votre
cordiale lettre et désolé devoir vous prier enlever mon
nom de couverture votre revue. »

En 1941 et 1942, Gide publia dans *Le Figaro* une
série d'*Interviews imaginaires*, son livre le plus impor-

tant depuis le *Voyage au Congo*, avec *Les Nouvelles Nourritures* et *Thésée*. Il retrouvait là l'humour, la gaieté et ce sens permanent de l'actualité de *Paludes*, enrichis du courage et de l'optimisme serein de la vieillesse. Les *Interviews* portent apparemment sur des sujets purement littéraires : la grammaire, la prosodie, la rime, l'avenir de la poésie, le roman. En fait, par d'habiles détours, ces *Interviews* opposent, grâce à de subtils doubles sens, l'esprit français à la basse infamie du pétainisme. Bien que leur contexte historique soit aujourd'hui dépassé, les *Interviews* conservent leur qualité, car les valeurs qu'ils défendent sont éternelles, et c'est un peu ainsi que Gide les présente. La vieillesse n'a rien changé de ses principes, quoique leur application soit toujours nouvelle. « Si j'examine ma vie », avait-il écrit bien avant[1], « le trait dominant que j'y remarque, bien loin d'être l'inconstance, c'est au contraire la fidélité ». Il déclare caustiquement à son interviewer : « A notre âge on doit consentir à se répéter, si l'on ne veut pas dire des bêtises ». L'intérêt de la pensée de Gide dans ses dernières années ne réside pas dans le fait qu'il changea continuellement de vaisseaux, mais dans le bonheur avec lequel sa vieille arche affronte les nouvelles vagues. Quant à l'interviewer, bien qu'un peu pétainiste et bourgeois, il n'est dépourvu ni d'intelligence, ni d'amabilité. Gide le traite avec ironie, mais également avec humour et, à travers lui, il s'adresse à tous les jeunes. « Cessez de

1. Dans la préface aux *Nourritures terrestres* de 1927 ; et il continue ainsi : « Ceux qui, avant que de mourir, peuvent avoir accompli ce qu'ils s'étaient proposé d'accomplir, je demande qu'on me les nomme, et je prends ma place auprès d'eux ».

croire, entre nous, à des abîmes. Si vous avancez plus loin que nous n'avons su faire, tant mieux ! mais croyez bien que c'est sur la même route ; où mes vœux et mes espoirs vous suivront, si même ils ne vous ont pas précédés. » Vu sous son jour le plus favorable, l'interviewer est le dernier Nathanaël de Gide.

Peu à peu, Gide s'était délivré du poids écrasant de l'abattement et de la résignation et avait retrouvé l'énergie nécessaire à une action intellectuelle, impossible même en France non occupée, et à une solitude dont l'affection de ses amis l'avait protégé. En mai 1942, il s'embarqua pour l'Afrique du Nord et en décembre, durant l'horreur des bombardements alliés sur Tunis occupée par les Allemands, il put écrire : « La joie est mon état normal ». Après la libération de l'Afrique du Nord, lorsque la liberté parut enfin surmonter le déluge, il lança un successeur algérien à la *N. R. F.* sabordée, qu'il appela *L'Arche*. Puis, dans l'air pur et la lumière blanche de la ville où son destin avait uni sa jeunesse fervente et sa vieillesse sereine, il songea à la beauté d'une ville plus emblématique encore et il écrivit l'histoire de Thésée, fondateur de la ville d'Athènes.

Le thème de *Thésée* avait hanté l'imagination de Gide pendant cinquante ans. Il est déjà contenu dans une phrase des *Nourritures terrestres* : « Le souvenir du passé n'avait de force sur moi que ce qu'il en fallait pour donner à ma vie l'unité ; c'était comme le fil mystérieux qui reliait Thésée à son amour passé, mais ne l'empêchait pas de marcher à travers les plus nouveaux paysages ». Il fait écho à cette pensée dans le *Journal* du 28 février 1912 : « Thésée s'aventurant, se risquant parmi le labyrinthe, assuré par le fil secret d'une fidélité intérieure ». Mais le mariage avait apporté une signification supplémentaire au fil d'Ariane : « C'est aussi Ariane qui fait, après qu'il a tué le Minotaure, Thésée revenir au point d'où il était parti », écrivit-il dans les « feuillets » qui font suite au *Journal* de 1911 [1]. Et c'est là qu'il mentionne pour la première fois ce livre qu'il projette d'écrire, car il ajoute : « Dans le *Thésée*, il faudra marquer cela — le fil à la patte, soit dit vulgairement ». Le 18 janvier 1931, il imagine une rencontre entre Œdipe et Thésée vieillards « se mesurant l'un à l'autre ». Et le 16 septembre de la même année, il ajoute le sujet de Dédale et d'Icare.

Le Thésée de Gide, de même que son Œdipe, suit de très près la trame de l'immortelle légende. Il trouve ses armes en remuant un rocher, tue des brigands, se rend en Crête, vainc le Minotaure dans le labyrinthe, abandonne Ariane et épouse sa sœur Phèdre, qui tombe amoureuse de son fils Hippolyte, et, après avoir fondé la cité d'Athènes, il rencontre dans sa vieillesse Œdipe aveugle. Tout cela existe, écrit en un grec très pur par Euripide et Plutarque, et en un français plus pur encore par Racine. Gide les avait consultés tous les trois, mais plus particulièrement Plutarque. Il avait écrit dans les *Nouvelles Nourritures* : « N'ai-je pas lu ce matin dans Plutarque, au seuil des vies de Romulus et de Thésée, que ces deux grands fondateurs de cités, pour être nés « secrètement et d'une union clandes-

---

1. Sans doute écrits beaucoup plus tôt, car ces feuillets comprennent une note pour *L'Enfant prodigue* qui doit dater d'avant février 1907. Le récit de Crète apparaît aussi dans l'épilogue du *Prométhée mal enchaîné*. Voir également le *Journal* du 12 mai 1927 et du 9 novembre 1940.

tine », ont passé pour des fils de dieux ? » Thésée fut
le dernier des héros bâtards de Gide [1].

Une fois de plus, la tension thématique du livre de
Gide est créée par l'utilisation du symbolisme latent
dans le mythe au profit de ses préoccupations personnelles et de celles de l'humanité. Les histoires d'Œdipe
et de Thésée sont issues de cette mythologie grecque
qui, antérieure à l'ère civilisée et adulte de la guerre
de Troie, fait appel aux plus secrets désirs d'enfance
de l'individu et de la race. Œdipe tue son père et épouse
sa mère — a-t-on remarqué que Thésée fait à peu près
la même chose, mais de manière si déguisée qu'il lui
est possible de survivre, libre de remords, en victorieux homme d'action ? — tandis qu'Œdipe, poussé par
un violent super-ego, se châtie lui-même en s'arrachant
les yeux, ce qui est un symbole d'auto-castration.
Thésée ne peut évidemment pas épouser sa mère, mais
par un phénomène de projection bien connu, la légende
fait que sa femme poursuive Hippolyte, son fils innocent, d'une passion qui leur sera mortelle à tous deux.
Il ne peut tuer son père, mais à son retour de Crète
il pousse accidentellement le vieillard au suicide en
« oubliant » de hisser la voile blanche. Le Thésée de
Gide, très au fait de la psychopathologie de la vie
quotidienne, est conscient du désir secret que cache
sa « négligence ». « On ne saurait penser à tout », dit-il
en manière d'excuse, avant d'ajouter : « Mais à vrai dire
et si je m'interroge, ce que je ne fais jamais volontiers, je ne puis jurer que ce fût vraiment un oubli.

1. L'origine d'Œdipe est également obscure. L'idée qu'ils sont en
réalité d'un père inconnu et de plus grande distinction est chose
courante chez ceux qui sont atteints du complexe d'Œdipe.

Égée m'empêchait ». Et il prend la place de son père sur le trône d'Athènes. Plus d'un adulte a été troublé par une culpabilité obscure lorsque son inconscient, qui abritait encore un désir d'enfance et une foi infantile en la toute-puissance de celui-ci, avait assumé la responsabilité de la mort naturelle d'un père ; et quand son père mourut, Gide n'avait que dix ans. Ce sentiment n'est pas incompatible avec l'affection ; Gide aimait son père et Thésée dit : « C'était quelqu'un de très bien, Égée, mon père ».

Parmi les personnages secondaires de *Thésée*, nous découvrons au passage quelques traits appartenant à des gens qui ont compté dans le passé de Gide : en Hippolyte dont la perte fut « le deuil de ma vie », de Marc Allégret, le fils adoptif de Gide ; en Pirithoüs, l'ami de jeunesse qui est devenu son ennemi spirituel, de Marcel Drouin ; en Dédale, l'architecte du labyrinthe, de Valéry ; en Icare, ce drogué qui vole trop près du soleil et s'y brûle, de Cocteau ; comme dans *Le Retour* et *La Porte étroite,* et comme très probablement dans la réalité, le héros gidien est aimé par deux sœurs [1]. Mais Thésée, seul des héros que Gide modela sur lui-même, est bon, grand et victorieux. Un véritable héros. Michel, Jérôme, Lafcadio, le pasteur Édouard, chacun à leur manière, se sont fourvoyés et ont été velléitaires, semblables à des êtres errant dans un labyrinthe. Gide s'épurait en eux, et les rejetait. Ici enfin, dans l'arrière-saison, Gide affirme sa prétention à

1. Et comme dans *La Porte étroite*, par leur mère aussi. Pasiphaë, lorsqu'elle glisse sa main sous le justaucorps de Thésée, emploie la même méthode de séduction que la mère d'Alissa avec Jérôme et, on peut l'imaginer, que la mère adultère de Madeleine avec André Gide enfant.

appartenir « à ceux qui ont accompli ce qu'ils s'étaient proposé d'accomplir ». « Je suis content », déclare Thésée devenu vieux.

> J'ai rempli mon destin. Derrière moi, je laisse la cité d'Athènes. Plus encore que ma femme et mon fils, je l'ai chérie. J'ai fait ma ville. Après moi saura l'habiter immortellement ma pensée. C'est consentant que j'approche la mort solitaire. J'ai goûté des biens de la terre. Il m'est doux de penser qu'après moi, les hommes se reconnaîtront plus heureux, meilleurs et plus libres. Pour le bien de l'humanité future, j'ai fait mon œuvre. J'ai vécu.

Pendant huit ans, après *Thésée*, la « mort solitaire » de Gide recula devant lui. Il continua de voyager, avec une prédilection de vieil homme pour l'avion qui économisait son temps, de se baigner dans le soleil de Nice et dans la lumière électrique de son cabinet de travail parisien. En 1947, il fut nommé docteur *honoris causa* de l'université d'Oxford (il avait fallu toute l'ardeur de Miss Enid Starkie pour convaincre la vieille université qu'elle s'honorait elle-même en l'honorant), puis, en novembre de la même année, il reçut le prix Nobel de littérature.

Après le testament et le manifeste final de *Thésée*, il n'y avait plus de place pour une nouvelle œuvre d'importance. Gide avait « rempli son destin ». Mais les livres de ses dernières années démontrent la force inaltérée et l'harmonie de son génie fondamentalement sain. En 1946 parut son *Journal* des années 1939 à 1942. En 1948, il publia la traduction en prose d'*Hamlet* de Shakespeare, qui fut joué avec un succès considérable par son ami Jean-Louis Barrault, et une adaptation pour la scène du *Procès* de Kafka. En 1949 parurent un volume de préfaces et d'essais intitulé les *Feuillets d'automne* (jeu de mots caractéristique de Gide sur les *Feuilles d'automne* de Hugo), ainsi qu'une *Anthologie de la poésie française* précédée d'une longue et remarquable introduction sur la nature de la poésie. Il ne faudrait pas lire ce livre seulement parce qu'il constitue la plus importante des anthologies françaises, ni pour les révélations qu'il apporte sur le goût personnel de Gide ; le lecteur devrait noter le plaisir malicieux avec lequel il a choisi, souvent chez les auteurs les plus inattendus, des textes involontairement précurseurs de ses propres thèses. Il autorisa la publication de sa correspondance avec Jammes et Claudel, ainsi que de *Littérature engagée*, un recueil de ses conférences et de ses articles datant de l'époque de son rapprochement du communisme, complété par une « comédie de caractères » en cinq actes, *Robert ou l'intérêt général*, sur laquelle il peina vainement de 1934 à 1940. Fort heureusement, cette ennuyeuse pièce didactique de gauche est, ainsi qu'il le reconnut lui-même à contre cœur [1], sa seule œuvre inférieure ; dépourvue de son génie, pleine de bons sentiments, on peut voir en elle l'exception qui confirme la règle. « J'ai mis autant de temps à rater *L'Intérêt général* qu'à réussir *Les Faux-Monnayeurs* », écrivit-il en 1949. « Tout ce que j'écrivais alors, *invita Minerva*, restait indiciblement médiocre. »

---

1. « Mes amis les meilleurs s'accordent à trouver tout cela fort mauvais. Je sais bien que si je les avais toujours écoutés, je n'aurais quasi rien publié... Mais, pour ce qui est de cette pièce, je crains bien que les amis n'aient raison. »

Durant les vingt-cinq dernières années, Claudel était resté implacable. Un jour, au cours d'un déjeuner, il s'écria joyeusement en voyant une crêpe que l'on flambait au cognac : « Et voilà comment Gide grillera en enfer ». Gide s'amusa beaucoup de l'anecdote de la crêpe flambée, quand on la lui rapporta, et plus encore lorsqu'un fils de Francis Jammes, filleul de Claudel, lui confia : « Maintenant, je sais que je ne suis pas de *leur* côté, mais du vôtre ». Un des nombreux petits-fils de Claudel vint faire dédicacer à Gide le volume de la correspondance Gide-Claudel où ce dernier avait déjà écrit : « Avec mes regrets de me trouver en si mauvaise compagnie » ; et Gide écrivit gravement à la suite : « Idem ». « Des spécialistes m'ont déjà assuré que j'étais plus chrétien que Claudel », déclarat-il un jour à Jean Lambert, le mari de sa fille Catherine.

Mauriac, plus chrétiennement chevaleresque, soutint qu' « il n'y a rien là qui doive nous faire désespérer du salut de notre ami ». Toutefois, l'opinion de Claudel, qui s'était institué Grand Inquisiteur de France, fut maintenue après la mort de Gide, quand, le 24 mai 1952, « *Opera omnia Andreæ Gide* » furent mises à l'Index ; ce qui n'empêcha pas l'éditorialiste de l'*Osservatore Romano*, l'organe officiel du Vatican, de parler avec respect à cette occasion « de cette voix forte et douce qui rappelle parfois la plus haute expression de tout ce qui est grand en France ». Dans *Numquid et tu... ?* et ailleurs, Gide s'était efforcé de démontrer à l'Église que le fossé existant entre ses enseignements et ceux de l'Évangile n'était pas aussi infranchissable qu'il le paraissait. Ces œuvres, dont la lecture constitue un péché mortel, sont d'une certaine façon une description sans égale de la recherche de Dieu, laquelle, selon Pascal, est un des moyens de Le posséder : « Tu ne me chercherais pas, si tu ne m'avais trouvé ». On peut voir dans le souci de possession catholique et dans le souci de recherche protestant, ainsi que dans l'éternelle guerre civile que se livrent ces deux principes, des moments indispensables de l'expérience religieuse de l'homme.

Finalement, en 1950, Gide publia une dernière livraison de son *Journal*, écrit de 1942 à 1949. Le *Journal* entier couvre une période de soixante années ; durant les vingt dernières, la pensée quotidienne du vieil homme, cette qualité qu'il appelle son « azur intérieur », est aussi vive et jeune que jamais. Ses moments de fatigue et d'abattement ne sont pas plus fréquents et plus longs qu'avant et il ne fut jamais plus alerte, serein et joyeux. Toutefois la nuance de la lumière a changé et l'appréciation de cette nuance est un des plaisirs particuliers que l'on éprouve à suivre le dernier quart de siècle de la vie de Gide. Dans les années 90, le climat du *Journal* était celui d'un premier jour du printemps ; dans les années 30 et 40, c'est un premier jour frais d'automne. « Ferveur » et « libération » furent les mots clefs de sa jeunesse, « inquiétude » et « contrainte » ceux de sa maturité. A présent, la tapisserie tissée par ces thèmes ou, pour employer la métaphore d'Henry James, la figure dans le tapis, est achevée et son nom est « sérénité ».

Le *Journal* de Gide prit fin pour toujours. « Ces lignes insignifiantes », écrivit-il le 25 janvier 1950 après une longue interruption, « datent du 12 juin 1949. Tout m'invite à croire qu'elles seront les dernières de ce *Journal.* » Pourtant, dans le dernier automne et le dernier hiver de sa vie, il éprouva le besoin de tisser encore une fois, comme dans une toile de soie chatoyante, les fils de ses quatre-vingts ans. Aussi écrivit-il *Ainsi soit-il ou Les Jeux sont faits.* Son état actuel se désigne, dit-il, par « un très beau mot : anorexie. Il signifie absence d'appétit ». A vrai dire, l'une des plus grandes beauté de ce livre ravissant est ce sentiment intermittent de fatigue extrême, le même que dans les nuits blanches exaltées de sa jeunesse, quand il pressait son front brûlant contre la vitre et contemplait l'aube de Normandie ; toutefois ce n'est plus au sommeil qu'il résiste, mais à la mort. La mort, ainsi soit-il, viendra dans quelques mois. Entre-temps, la curiosité renaît sans cesse. L'anorexie n'est qu'un mot et le vieil homme étend son esprit comme un poirier en espalier sur le mur ensoleillé.

Il a résolu d'écrire ce qui lui viendra à l'esprit, sans tricher et, tandis que le sujet change à chaque page, ce maître de la construction littéraire noue des liens qui semblent à la fois logiques et invisibles. Il observe ses forces déclinantes avec une intelligence inaltérable. Il ne rétractera rien — « Somme toute, la partie que je jouais, je l'ai gagnée » — au contraire, si sa vie était à refaire, il apprendrait le grec, ferait quatre fois le tour du monde et cèderait à davantage de sollicitations. Il raconte une série d'histoires absurdement drôles, car son dernier portrait aurait été incomplet s'il n'avait fait la part de son amour du saugrenu. Puis le phare tournant de son esprit plonge de plus en plus loin dans son immense passé. A son retour à

Paris, après la libération, il a trouvé caché derrière ses dictionnaires, sans doute par quelque Lafcadio de la Résistance, tout un matériel destiné à fabriquer de faux papiers ; il se rappelle une « fleur unique, d'un rouge éclatant » aperçue dans le Caucase au cours de son voyage en Russie, un moment de félicité profane durant le voyage au Congo, des scènes italiennes de son voyage de noces après son mariage jamais consommé, et, plus lointain que tous ces souvenirs, par delà un abîme de soixante-dix ans, les jeux secrets de ses cousines à Rouen, lorsque l'inventive Valentine ou l'intrépide Jeanne lui paraissaient plus intéressantes que la timide Madeleine, qu'il épousa. Dans ses rêves, nous révèle cet auteur d'*Œdipe*, les visages de sa femme et de sa mère mortes se confondent souvent, et toujours « avec un rôle d'inhibition ».

Le thème secret de ce dernier testament est la quête secrète d'un dernier aphorisme — « Croyez ceux qui cherchent la vérité, doutez de ceux qui la trouvent », écrit-il, mais ce n'est pas encore cela. « Les rapports de l'homme avec Dieu (« ce Dieu qui m'attend, dites-vous, et auquel je refuse de croire », déclare-t-il ailleurs) m'ont toujours paru beaucoup plus importants et intéressants que les rappors des hommes entre eux. » Sa dernière tentative, les derniers mots qu'il écrivit, six jours avant sa mort, sont cette célèbre formule d'acceptation, de consentement : « Ma propre position dans le ciel, par rapport au soleil, ne doit pas me faire trouver l'aurore moins belle. »

Il avait projeté de passer le printemps qui approchait à Marrakech, comme il avait passé l'été précédent en Italie et en Sicile. Le succès qu'avait connu en

décembre la pièce tirée des *Caves du Vatican* à la
Comédie Française — deux comédiens de génie, Jean
Meyer et l'infortuné Roland Alexandre interprétant les
rôles de Protos et de Lafcadio — l'avait enchanté et
épuisé. « Je n'avais pas pris de dispositions pour vivre
aussi vieux », écrivit-il dans *Ainsi soit-il*. En février,
une congestion pulmonaire vint oppresser intolérable-
ment son cœur fatigué. Éprouvant de la difficulté à
s'exprimer, il eut ce mot charmant : « J'ai peur que
mes phrases ne deviennent grammaticalement inex-
actes ». Puis, lorsque, un peu plus tard, sa respiration
devint laborieuse : « C'est toujours la lutte entre le
raisonnable et ce qui ne l'est pas ». Le 19 février 1951,
tard dans la soirée, vint le dernier acte gratuit, la mort.

La plupart des critiques de Gide annoncèrent avec
tristesse la nouvelle de sa mort, tandis que ses admirateurs pleuraient, dans un monde qui parut plus sombre et plus vide, un maître et un ami irremplaçable.
A l'exemple de ses plus grands prédécesseurs, Dante,
Shakespeare, Goethe, et de ses égaux dans son propre
siècle, Proust et Joyce, Gide avait édifié pour ses lecteurs, par l'œuvre d'une vie à la fois universelle et le
couronnement de son époque, un paradis possible que
le temps et l'imprévu ne pouvaient ébranler. Mais le
paradis de Gide, comme celui du seul Gœthe, est terrestre, situé en deçà du sommeil, du temps perdu et
de la mort. Il ne peut être perdu par jouissance, ni
atteint par sacrifice.

Gide ne croyait pas en l'immortalité ; pourtant, par
ses œuvres, il est devenu, en un sens authentique,
immortel. Sa personnalité et sa doctrine demeureront
à jamais ; il ne cessera pas d'être ce qu'il était, d'ensei-

gner ce qu'il enseigna. Il continuera d'aider ses semblables, les jeunes et ceux qui désirent rester jeunes,
les gens heureux et ceux qui désirent être heureux, à
vivre avec courage et espoir, et à parvenir à l'affran-
chissement et à la vertu. Et si jamais le génie, cette
qualité en voie de disparition, renaît, Gide, autant que
les plus grands de ses pairs, l'aura aidé à se libérer
dans sa jeunesse et à demeurer productif et confiant
dans sa vieillesse.

BIBLIOGRAPHIE

A. — ŒUVRES D'ANDRÉ GIDE

I. — RECUEILS

Œuvres complètes, 15 vol., Gallimard, Paris, 1932-9.
(Cette édition comprend les œuvres de Gide publiées jusqu'à 1929 et est importante parce qu'elle inclut de nombreux articles, lettres, vers, préfaces, œuvres inachevées ou secondaires, etc., demeurés inédits. La continuation de cette édition, dont il est parfois question, serait fort souhaitable.)

Journal, 1889-1939, Bibliothèque de la Pléiade, Gallimard, Paris, 1939, 1941, 1949 ; Comprend aussi *La Marche Turque* et *Numquid et tu...?*

Journal, 1939-1949, Souvenirs, Bibliothèque de la Pléiade, Gallimard, Paris, 1954 ; comprend aussi *Si le grain ne meurt, Souvenirs de la cour d'assises, Voyage au Congo, Le Retour du Tchad, Carnets d'Égypte, Feuillets d'automne, Et nunc manet in te, Ainsi soit-il.*

Romans, récits et soties, œuvres lyriques. Bibliothèque de la Pléiade, Gallimard, Paris, 1958 ; comprend *Le Traité du Narcisse, Le Voyage d'Urien, La Tentative amoureuse, Paludes, Les Nourritures terrestres, Les Nouvelles Nourritures, Le Prométhée mal enchaîné, El Hadj, L'Immoraliste, Le Retour de l'Enfant prodigue, La Porte étroite, Isabelle, Les Caves du Vatican, La Symphonie pastorale, Les Faux-Monnayeurs, L'École des femmes, Robert, Geneviève, Thésée.*

Théâtre : Saül, Le Roi Candaule, Œdipe, Perséphone, Le Treizième arbre, Gallimard, Paris, 1947.

II. — ÉDITIONS ORIGINALES ET AUTRES

1891 *Les Cahiers d'André Walter*, Librairie de l'Art Indépendant, Paris.

1892 *Le Traité du Narcisse*, Librairie de l'Art Indépendant, Paris.
Les Poésies d'André Walter, Librairie de l'Art Indépendant, Paris.

1893 *La Tentative amoureuse*, Librairie de l'Art Indépendant, Paris.
Le Voyage d'Urien, Librairie de l'Art Indépendant, Paris.

1895 *Paludes*, Librairie de l'Art Indépendant, Paris.

1897 *Les Nourritures terrestres*, Mercure de France, Paris.

1899 *Philoctète*, Mercure de France, Paris.
El Hadj, Mercure de France, Paris.
Le Prométhée mal enchaîné, Mercure de France, Paris.

1901 *Le Roi Candaule*, Revue Blanche, Paris.

1902 *L'Immoraliste*, Mercure de France, Paris.

1903 *Prétextes*, Mercure de France, Paris.
Saül, Mercure de France, Paris.

1906 *Amyntas*, Mercure de France, Paris.

1907 *Le Retour de l'Enfant prodigue*, Vers et Prose, Paris.

1909 *La Porte étroite*, Mercure de France, Paris.

1910 *Oscar Wilde*, Mercure de France, Paris.

1911 *Isabelle*, N. R. F., Paris.
Nouveaux Prétextes, Mercure de France, Paris.

1913 *Souvenirs de la cour d'assises*, N. R. F., Paris.

1914 *Les Caves du Vatican*, N. R. F., Paris.

1919 *La Symphonie pastorale*, N. R. F., Paris.

1923 *Dostoïevsky*, Plon, Paris.

1924 *Incidences*, Gallimard, Paris.
Corydon, Gallimard, Paris.

1926 *Les Faux-Monnayeurs*, Gallimard, Paris.
Le Journal des Faux-Monnayeurs, Gallimard, Paris.
Numquid et tu... ? Éditions de la Pléiade, Paris.
Si le grain ne meurt, Gallimard, Paris.

1927 *Voyage au Congo*, Gallimard, Paris.

1928 *Le Retour du Tchad*, Gallimard, Paris.

1929 *L'École des femmes*, Gallimard, Paris.
Robert, Gallimard, Paris.

1930 *L'Affaire Redureau*, Gallimard, Paris.
La Séquestrée de Poitiers, Gallimard, Paris.

1931 *Œdipe*, Gallimard, Paris.

1934 *Perséphone*, Gallimard, Paris.

1935 *Les Nouvelles Nourritures*, Gallimard, Paris.

1936 *Geneviève*, Gallimard, Paris.
Retour de l'U. R. S. S., Gallimard, Paris.

1937 *Retouches à mon Retour de l'U. R. S. S.*, Gallimard, Paris.

1946 *Thésée*, Gallimard, Paris.
Hamlet (traduction de *l'Hamlet* de Shakespeare), Gallimard, Paris.
Le Retour, Ides et Calendes, Neuchâtel.

1947 *Le Procès*, Gallimard, Paris. Adaptation à la scène du roman de Kafka.

1948 *Notes sur Chopin*, L'Arche, Paris.
Francis Jammes et André Gide Correspondance, 1893-1938, Gallimard, Paris.

1949 *Feuillets d'automne*, Mercure de France, Paris.
Anthologie de la poésie française, Bibliothèque de la Pléiade, Gallimard, Paris.
Interviews imaginaires, Gallimard, Paris.
Paul Claudel et André Gide, Correspondance, 1899-1926, Gallimard, Paris.

1950 *Littérature engagée*, Gallimard, Paris.
Les Caves du Vatican, Farce en trois actes, Gallimard, Paris.

1951 *Et Nunc Manet in te*, Ides et Calendes, Neuchâtel.

1952 *Ainsi soit-il, ou les Jeux sont faits*, Gallimard, Paris.

1955 *André Gide - Paul Valéry, Correspondance, 1890-1942*, Gallimard, Paris.

1967 *André Gide - André Rouveyre, Correspondance, 1909-1951*. Mercure de France, Paris.

1968 *André Gide - Roger Martin-du-Gard, Correspondance*. 2 volumes. Gallimard, Paris.

B. — LIVRES SUR GIDE

ADAM, Antoine. Quelques années dans la vie d'André Gide, *Revue des Sciences humaines*, 1952, pp. 247-72.

ARCHAMBAULT, Paul. *Humanité d'André Gide*, Bloud et Gay, Paris, 1946.

BRACHFELD, Georges I. *André Gide et la tentation communiste*, Librairie E. Droz, Genève ; Librairie Minard, Paris, 1959.

BRÉE, Germaine. *Gide*, Rutgers University Press, New Brunswick, N. J., 1963.

COCTEAU, Jean. *Gide vivant*, Amiot-Dumont, Paris, 1952.

DAVET, Yvonne. *Autour des Nourritures terrestres*, Gallimard, Paris, 1956, 57.

NOUVELLE REVUE FRANÇAISE. *Hommage à André Gide*, Gallimard, Paris, 1951.

ISELER, Paul. *Les Débuts d'André Gide vus par Pierre Louÿs*, Éditions du Sagittaire, Paris, 1937.

LAFILLE, Pierre. *André Gide, romancier*, Hachette, Paris, 1954.

LAMBERT, Jean. *Gide familier*, Julliard, Paris, 1958.

MAHIAS, Claude et HERBART, Pierre. *La Vie d'André Gide, album photographique*, Gallimard, Paris, 1955.

MARTIN, Claude. *André Gide par lui-même*, Éditions du Seuil, Paris, 1963.

MARTIN DU GARD, Roger. *Notes sur André Gide*, Gallimard, Paris, 1951.

PIERRE-QUINT, Léon. *André Gide*, Stock, Paris, 1932, 1952.

SCHLUMBERGER, Jean. *Madeleine et André Gide, leur vrai visage*, Gallimard, Paris, 1956.

STARKIE, Enid. *André Gide*, Bowes et Bowes, London ; Yale University Press, New Haven, Conn. 1954.

TABLE

Achevé d'imprimer
par Firmin-Didot
en son Imprimerie Alençonnaise
le 17 juin 1968
Une partie de la présente édition
a été reliée par Babouot
à Gentilly

Imprimé en France

This book is due for return on or before the last date shown below.